S0-AHT-055

AQUAMARINE

Carol Anshaw

AQUAMARINE

Traduit de l'anglais (États-Unis) par
Carole Allamand

Éditions Anne Carrière

ISBN : 978-2-3808-2300-4

Titre original : AQUAMARINE
Première publication par Houghton Mifflin Company

www.anne-carriere.fr

Pour Barbara

Avertissement

La véritable épreuve du cent mètres nage libre aux Jeux olympiques de 1968 a eu son propre cadre et a été gagnée et perdue par des femmes réelles, qui n'entrent pas dans cette histoire. Tous les personnages et événements des pages suivantes sont purement imaginaires.

Nage libre

Octobre 1968, Mexico

Pendant quelques instants sursaturés, Jesse sent, voit et entend tout. La chaleur écrasante, le ciel mexicain blanc, son soleil plat, pressant comme un fer la courbure de ses épaules. L'odeur de chlore, d'huile pour bébé et de quelque chose qui n'est pas exactement de la sueur, mais son équivalent aquatique, des effluves que les nageurs dégagent dans les minutes qui précèdent un événement, un mélange enivrant d'excitation, de peur et de désir. La foule, échauffée comme si elle allait nager elle-même cette course.

À l'exception de sa marraine, qui est assise dans les gradins, imperturbable, lisse – un bouddha du Midwest –, présente ici au prix de deux jours et d'une longue nuit passés dans un autocar en provenance du Missouri. Le frère de Jesse est à côté d'elle, bondissant un peu sur son siège, agitant les mains comme un choriste détraqué, un membre des Temptations hors service. Mais l'animation tout autour est telle que, pour une fois, il n'attire pas particulièrement l'attention.

En bas avec Jesse, au niveau de la piscine, se trouve Bud Freeman, l'entraîneur de l'équipe féminine américaine, avec sa coupe en brosse, un physique de borne d'incendie et quelques centimètres de moins que Jesse, dont il tapote négligemment le bras de ses gros doigts, lui rappelant que Marty Finch est une fille qui démarre aussi fort qu'elle finit mal, qu'il ne faut pas s'inquiéter d'elle dans les cinquante premiers mètres. Sa bouche est si proche du visage de Jesse qu'elle peut sentir son haleine, un parfum d'orange. Elle hoche la tête, lèche l'intérieur de ses lunettes et, par-dessus l'épaule de l'entraîneur, regarde Marty qui étire ses jambes contre le plot de départ voisin, sans la regarder. Ce qui est intelligent. Jesse ne devrait pas la regarder non plus, pas maintenant.

Jesse se tient à côté du plot de la ligne 4. Elle hoche toujours la tête à tout ce que dit Bud, bien qu'elle ait cessé d'écouter, n'en ait pas vraiment besoin. Elle a fait cette course dans sa tête tous les jours depuis qu'elle a quatorze ans. Pendant la majeure partie de ces trois dernières années, son corps a parcouru quinze mille mètres par jour, alors il saura de lui-même exactement comment en gérer cent. Aujourd'hui, elle n'aura qu'à se laisser emporter.

Le moment de prendre le départ est arrivé. À cet instant, la vague qu'elle chevauchait – absorbant tout sur son passage – s'écrase sur les rives de son être, s'évanouit au centre d'elle-même. Elle perd Bud, la foule, le soleil. Tout ce qu'il y a, c'est elle et l'eau qui s'étend devant elle, qu'il faut franchir. Cinquante mètres. Culbuter. Cinquante mètres dans l'autre sens. Un aller-retour.

Elle étire la lanière de ses lunettes autour de sa tête, la fait claquer. Ajuste les œilletons, tire sur les extrémités de la sangle pour les faire adhérer. Elle s'accroupit et balance ses bras d'avant en arrière jusqu'à la limite du déséquilibre. Elle est prête. Elle n'a même pas besoin de voir le starter pour savoir qu'il lève le pistolet. Elle peut sentir que l'événement approche, qu'elle se fond en lui.

« Nageurs, à vos marques. » La commande métallique jaillit des haut-parleurs, fait basculer l'événement du néant à l'imminent.

Elle hyperventile pour gonfler ses poumons, presse la plante de ses pieds contre la surface rugueuse du plot. Arrive le moment critique, celui où elle doit tout laisser derrière elle, y compris elle-même, et devenir purement ce qu'elle peut faire, transformer la matière en énergie, devenir vitesse. Dans les centaines d'épreuves qu'elle a nagées avant celle-ci, cette fraction de seconde pendant laquelle elle peut voir clairement la course devant elle, et se voir la remporter, lui a donné l'avantage.

Cette fois, cependant, le pouvoir de cette croyance se dissipe, juste un soupçon. Juste le temps, l'infime partie de seconde qu'il lui faut pour regarder Marty. Qui, en un éclair, la regarde à son tour. Mais à travers ses lunettes, puis celles de Marty, et avec le soleil derrière elle qui l'obscurcit, Jesse ne peut rien lire sur ses traits. Elle essaie encore de déchiffrer son visage, d'en tirer un message important, de faire le lien entre aujourd'hui et hier soir, de comprendre ce qui unit ces événements et celui-ci. Alors qu'elle est temporairement perdue dans cette constellation de peur, d'euphorie et d'espoir refoulé, le pistolet du starter, auquel elle est censée répondre instinctivement, comme s'il était en elle, retentit dans un endroit très lointain. La prenant complètement par surprise.

Et donc Jesse Austin s'élance, semble suspendue dans les airs un instant, et entre dans les eaux olympiques un dixième de seconde plus tard qu'elle n'aurait dû. Elle ne peut pas maudire la faute. N'a pas le temps. La minute suivante est un flou d'aigue-marine. La couleur s'est brisée en un million de facettes ondulées tandis que l'eau diffracte la lumière du soleil qui frappe le fond de la piscine. Aigue-marine et bleu profond, celui de la large bande qu'elle suit au centre de son couloir, amorçant son virage en culbute, là où la bande se termine en T. Le contact du béton peint contre la plante des pieds alors qu'elle pousse. Et puis les cinquante derniers mètres. Elle sait qu'elle nage vite, peut-être plus vite qu'elle ne l'a jamais fait. Elle perçoit une différence infinitésimale. C'est comme si l'eau avait cédé, la laissait passer.

Et puis, il y a le claquement lisse du carreau sur la paume de sa main alors qu'elle termine là où elle a commencé. Elle émerge rapidement, les joues rouges, et avale de l'air. Elle se hisse à la surface de l'eau, arrachant ses lunettes, à la recherche frénétique de signes. À sa gauche, dans le couloir, Marty a également touché et retire son bonnet dans un couinement de caoutchouc, se penche en arrière, ses cheveux attrapant l'eau comme des herbes marines blanches. Jesse regarde la scène un moment, comme une partie de tout ce qui se passe en même temps. Elle attend toujours le verdict.

Puis Bud s'accroupit sur le rebord de la piscine juste au-dessus d'elle, secouant la tête, levant deux doigts. Elle est arrivée deuxième, a remporté l'argent. Elle a gagné quelque chose, mais c'est la défaite qui la frappe en premier. Elle ressent comme un grand poids la tirant vers le bas. Elle regarde Marty recevoir les bonnes nouvelles de Ian Travers, l'entraîneur australien : elle a remporté l'or. Elle jette son bonnet et ses lunettes en l'air et sourit de tout son corps. Et puis elle regarde autour d'elle et s'étend au-delà du périmètre de sa victoire, au-dessus des marqueurs de couloir pour enrouler son bras autour des épaules de Jesse. Comme si elle la prenait sous les aisselles pour l'emmener avec elle.

Étonnamment, ça marche. Jesse a la sensation que son esprit s'accroche à celui de Marty et, pour le moment du moins, croit qu'elles ont gagné, qu'ensemble elles ont battu la concurrence, et toutes deux rient de concert, propulsées par une bouffée de joie au-dessus du commun des mortels. Elles plongent, font des vrilles, remontent et sortent de l'eau, traînant des arcs d'embruns dans leur sillage.

Jesse a l'impression qu'elles ont atteint les hauteurs, comme si la gloire était un endroit vaste et plat qu'elles habiteront pour toujours, plutôt qu'un sommet pointu, une montagne dont elles dévaleront rapidement les flancs jusqu'au sol. Mais elle ne regarde pas vers le bas pour le moment, seulement vers l'extérieur, vers les possibilités illimitées impliquées par cet accomplissement.

Elle peut sentir la brise qui l'enveloppe doucement.

L'écrivain du ciel

Juillet 1990, New Jerusalem, Missouri

« Mon ange. » Neal se tient dans l'embrasure de la porte, se balançant un peu d'avant en arrière. « Tu peux fermer la grotte ? demande-t-il. J'ai presque fini le décompte au bureau. » Son T-shirt colle à son torse. Il retire sa casquette de base-ball et s'essuie le front de l'intérieur du bras. C'est l'été le plus chaud dont on se souvienne ici. Le thermomètre a passé les 40 °C sur le coup de midi ces six derniers jours. Même les personnes très âgées, qui peuvent généralement opposer au présent les conditions météo dramatiques du passé, assurent que c'est la pire vague de chaleur de tous les temps.

Jesse hoche la tête, éponge un filet de transpiration sur sa tempe et retire la pince placée à la base de son cou. Sa chevelure se déploie comme un éventail. Elle la rassemble et la repince étroitement. « Je devrais faire couper cette tignasse. »

Neal la regarde un instant comme s'il la voyait, mais sans le son. Puis il revient à lui. « N'y songe pas. Les cheveux roux sont rares. À toi le couronnement de splendeur.

— J'espère que tu ne cesseras jamais de me flatter », dit-elle, et elle se retourne pour achever de dissoudre avec une spatule un morceau de limonade congelée dans un pichet en plastique couvert de griffures. Dans son ventre, le bébé donne un coup de pied, se connectant avec le manche de la spatule, le faisant tomber de sa main. Elle et Neal regardent tous les deux la lame en caoutchouc grise, au centre d'une flaque sur le vieux linoléum. Puis la surprise dans les yeux l'un de l'autre.

« Penses-tu que cela révèle quelque chose sur sa personnalité de battante ? » demande Jesse. Il y a des moments où elle se rend compte qu'elle et ce bébé ne se sont pas encore rencontrés.

« Tu veux dire que même si nous l'envoyons dans une école chic et lui apprenons quelle fourchette utiliser et comment rédiger les invitations, elle finira toujours par mettre la tête des gars au carré dans les bars ?

— On peut toujours espérer, répond Jesse. J'aime l'idée qu'elle soit peut-être déjà une petite battante là-dedans. » Elle attrape le rouleau d'essuie-tout posé sur le comptoir, mais Neal arrive le premier et commence à éponger le sol pendant qu'elle se rince les mains, les sèche sur sa blouse de maternité en coton gaufré, pousse la porte moustiquaire de la maison et sort.

Au tout début, la maison se composait de deux mobil-homes réunis, mais à présent, avec l'ajout d'une arrière-salle, d'un porche latéral à jalousie et d'une petite cour avant bordée par les rosiers de Jesse, elle passerait presque pour une vraie maison. Les plantes l'arriment à la terre, lui donnent de la stabilité avec leur étendue de rouge brillant, des roses thé hybrides affublées de noms de personnes ou de créations célèbres. Kentucky Derby. Dolly Parton.

Chrysler Imperial. La maison est en retrait sur la propriété, dans un petit bosquet d'arbres situé au sommet d'un chemin de terre, loin de la grotte et de ses visiteurs, hors de portée du xylophone à stalactites qui fait vibrer « Lady of Spain » et « Qué será, será » à travers les semelles de ceux qui foulent le sol au-dessus.

La grotte appartient à la famille de Neal, les Pratt. Ils ont principalement investi dans des carnavals itinérants, mais possèdent quelques attractions fixes comme celle-ci et Lookout Point à l'extrémité ouest de l'État, ainsi qu'un petit geyser dans l'Arkansas. « Les Cavernes de Pratt » proposent un spectacle à l'ancienne. Au printemps, deux gars sont passés et ont essayé de convaincre Neal de faire un show laser. Ça ne l'a pas intéressé. Il aime bien la grotte telle qu'elle est et la qualifie parfois de « majestueuse ». Cette tendance à la ringardise a été l'une des premières choses que Jesse ait remarquées chez lui. Neal lit vraiment les poèmes imprimés sur les cartes d'anniversaire. Il chante aux concerts, ou avec la radio dans la voiture.

C'est le pic de la saison touristique et, par cette chaleur, la fraîcheur naturelle de la grotte la rend encore plus attrayante. Aujourd'hui, plus de deux cents personnes y sont passées, dont deux autocars d'Allemands en début d'après-midi. L'entrée est désormais barrée depuis plus d'une heure. Cependant, avant de pouvoir fermer, quelqu'un doit s'assurer que toutes les cavernes sont vides. Parfois, des écoliers du coin se faufilent, essaient d'y passer la nuit pour vérifier si l'endroit est hanté. De temps en temps, des personnes âgées s'éloignent de leur groupe, se troublent, se perdent un peu.

Les marches sont tellement usées au centre qu'on dirait que la pierre s'affaisse. Jesse les suit en s'accrochant à la rampe, ce qu'elle n'avait jamais fait avant d'être enceinte. Elle est habituée à être physiquement imprudente. Désormais, elle doit se comporter comme un coursier de biens de valeur.

Peu importe le nombre de fois où elle est venue ici, elle ressent toujours un petit frisson lorsqu'elle sort du tunnel étriqué qui mène à la grotte principale, où la pierre devient polie et s'évase en grand, tel un bâillement. Elle a l'impression de se tenir dans la bouche d'une créature géante et pétrifiée d'une autre ère. Elle aime entendre les soupirs de surprise parcourir les groupes de touristes lorsqu'ils débouchent sur cette cathédrale souterraine. Quiconque la voit pour la première fois a l'impression d'être le premier à le faire. Elle fait ressortir l'explorateur qui sommeille en chacun de nous. Pour ceux qui en ont le goût, une atmosphère religieuse plane sur l'expérience.

Jesse éteint les lumières au fur et à mesure, secoue les barres de poussée des portes de sortie, laisse courir le bout de ses doigts le long des murs frais, humides et lisses. En quittant les lieux, elle passe devant la Grotte d'Azur, baignée de flots bleus. Elle aimerait y entrer et s'asseoir un moment, changer le bleu en aigue-marine. Plonger dans le passé. Mais c'est l'heure du dîner et elle doit s'occuper des gens de son présent. Elle va chercher son frère.

William aide à la boutique de souvenirs, mais pas en tant que caissier. Ils ont essayé, mais l'argent le déconcerte ; les billets de vingt sont presque identiques à ceux d'un dollar. Il se trompe aussi facilement qu'on peut le tromper. Ce qu'il sait faire, c'est épousseter les vieilles étagères en pin et la marchandise, remplacer le stock – des salières et des poivriers en forme de stalagmites, des tranches de bûche laminées avec des images de la Grotte d'Azur et du barrage de Bagnell, au bord du lac des Ozarks. Des souvenirs démodés qu'ils achètent à des entreprises ayant leurs beaux jours derrière elles. Le seul problème, c'est qu'il prend parfois trop soin des choses, se met à tout épousseter et lustrer deux fois. Ou perd de vue l'essentiel et arrache un souvenir des mains d'un client, le replaçant sur son étagère. Il a toujours un tel air de satisfaction après coup, la satisfaction du travail bien fait.

En entrant dans la boutique, Jesse le trouve dans une autre disposition, assis dans un coin sur un haut tabouret, toute lumière éteinte au fond des yeux. Il s'éclaire lentement quand il la voit, comme s'il était branché sur un rhéostat. Cela inquiète Jesse de penser que, lorsqu'il n'y a personne, William attende dans cet état désactivé – quelqu'un, mais surtout elle.

Elle pense à Willie et au bébé à venir. À certains égards, il pourrait être génial avec l'enfant. Il adore répéter les choses, peut jouer aux jeux les plus simples pendant des heures. C'est le côté positif. Mais il peut aussi être plein de malice. Quand ils étaient petits, il aimait venir derrière elle dans les escaliers et lui donner une petite bourrade. Il faudra qu'elle le surveille.

« Faim ? » dit Jesse en lissant les cheveux humides de son frère.

Il hoche la tête.

« Je sais qu'il fait chaud. Viens quand même. Prends de la limonade, au moins. »

Elle attrape sa main pour le tirer du tabouret, mais il se met à l'agiter comme pour dire bonjour. Une blague qu'il apprécie.

« Allons au bunker », dit Neal, de retour dans la cuisine, en empilant des sandwichs à la mortadelle sur une assiette.

Il fait si humide que les triangles de pain blanc s'affaissent entre ses doigts. Jesse tend à William une pile de gobelets en papier et le pichet de limonade. Elle apporte un sac de chips barbecue et tous trois se rendent dans la grande chambre du fond.

D'habitude, Neal et elle luttaient contre la chaleur en passant les pires nuits dans la grotte, sur des lits de camp qu'ils traînaient dans l'escalier, s'enroulant dans des couvertures en coton pour se préserver de l'humidité, se tenant la main d'un lit à l'autre. Ils sombraient dans un sommeil agité par des plaintes pénétrant jusqu'à leur oreille moyenne, des frémissements gagnant leur cortex ou des frissons traversant leur moelle, autant d'excitations causées par les soupirs nocturnes, les exhalaisons souterraines de la caverne.

Ils ont renoncé à le faire, maintenant que Willie vit avec eux. Il aime les grands espaces ; même les pièces sans fenêtre le perturbent. Une fois, il y a des années, ils l'avaient emmené dans la grotte et il s'était mis à regarder autour de lui d'un air farouche et convulsif, pivotant la tête comme un insecte, avant de frapper ses mains sur ses cuisses et d'émettre des sons qui étaient juste en deçà des mots. C'était horrible à voir. Jesse l'avait sorti de là et calmé en l'emmenant en balade derrière elle sur la moto-tondeuse, jusqu'à ce que les cercles lents et l'odeur d'herbe humide fassent leur effet. En gros, il se comporte désormais comme si la grotte n'existait pas.

Aux premiers jours de cette période de chaleur, Neal a transformé la grande chambre du fond – la seule de la maison dotée d'un climatiseur – en abri de survie, apportant le téléviseur et le magnétoscope sur leur table à roulettes, des coussins de canapé pour rehausser la tête du lit, des chaises de jardin de chaque côté. Dorénavant, ils se détendent tous les trois ici et passent leurs soirées dans le vaste monde de la télé câblée.

William préfère les chaînes de télé-achat. Il trouve les annonceurs « gentils » et veut tout acheter. Jesse pense que si les gens comme lui avaient des cartes de crédit, ils auraient des maisons bourrées jusqu'au plafond d'ioniseurs d'air et de bracelets en pierres synthétiques. Neal navigue entre les chaînes aux numéros les plus élevés à la recherche de *Love Connection*, une émission de rencontres entre célibataires. À cet instant, le présentateur rit et secoue la tête, incrédule, face à un concurrent, un gars mince avec des lunettes à l'ancienne et une chemise boutonnée jusqu'au col. Il ressemble un peu à Buddy Holly.

« Ce type est tellement pathétique ! s'exclame Neal. Il a loué une limousine pour son rendez-vous avec la candidate. Ces gars devraient me consulter. Ils devraient d'abord m'appeler. Je suis super avec les femmes.

— Tu n'as jamais eu l'occasion d'être génial avec les femmes, souligne Jesse, d'abord tu étais timide, puis tu es tombé sur moi.

— Ok, d'accord, je suis super avec toi. »

Lorsqu'ils se sont rencontrés, Jesse revenait tout juste de Mexico et cherchait à combler les quelques heures soudainement libres chaque jour pendant lesquelles elle n'était plus obligée d'être dans l'eau. À la place, elle faisait les cent pas, principalement à l'intérieur d'elle-même. Elle passait ses nuits dehors, sous le porche endormi de la maison de sa mère, à écouter les branches de saule bruisser comme des rideaux de satin. À regarder, allongée sur le dos, le ciel phosphorescent à travers les vieilles moustiquaires gondolées, dans l'attente de l'aube, d'un événement.

Neal était arrivé calmement au milieu de cela, lui offrant une issue. Il ne s'attendait pas à ce qu'elle s'équilibre pour toujours sur un pic de gloire, ou qu'elle s'élance vers un autre pic. Il pensait que cela lui ferait du bien de tomber et de le laisser la rattraper. (Des années plus tard, quand elle est allée voir *La Féline*, au milieu de la scène où John Heard, gardien de zoo, attache au lit Nastassja Kinski, une panthère, pour pouvoir lui faire l'amour sans risquer de se faire tuer, Neal, qui était assis à côté d'elle en train de manger du pop-corn, a tiré sur sa manche de ses doigts gras et dit : « C'est ce que je ressentais au début entre nous. »)

Il prend les choses comme elles viennent, ce qui fait de lui une personne satisfaite depuis que Jesse le connaît. Et maintenant, leur situation offre encore plus de quoi être comblé. La grotte rapporte suffisamment, le bébé est en route. Neal raconte à Jesse qu'il fait souvent un rêve où il attrape des poissons dodus aux écailles irisées. « Parfois, je n'ai même pas de canne ou de moulinet. Ils sautent simplement dans le bateau. »

Il a travaillé doucement sur Jesse au fil des ans, essayant de la convertir à sa vision du monde pleine de contentement, mais tout ce qu'il a réussi à faire c'est à mettre une couche d'isolation acoustique entre elle et ce dont elle a toujours été à l'écoute. Si elle est seule et silencieuse et que le téléphone sonne, le bruit explose en elle comme un pistolet de starter. Presque toute sa vie, les sonneries de téléphone, les sacs des facteurs, les bureaux de télégrammes ont été excessivement prometteurs : ils ont aiguisé ses attentes d'une manière qu'elle ne peut expliquer. Elle ne saurait dire quel est l'appel qu'elle guette, ni ce qui devrait se trouver dans la lettre.

Ils ont commencé à essayer d'avoir des enfants à peu près au même moment que tous leurs amis. Mais cela n'est pas arrivé. Jesse a pensé que sa mère avait peut-être raison avec ses sombres prédictions concernant l'entraînement de natation, et que son corps était désormais perdu pour toutes les fonctions féminines standard. Sauter toutes ces règles l'avait définitivement mise hors service.

Quelque part pendant la troisième année passée à essayer, elle et Neal avaient cessé de parler autant de cette éventualité et étaient passés à une version alternative de la vie conjugale, qui s'était rapidement résumée pour lui à prendre la tête de l'exploitation de la grotte et pour Jesse à obtenir sa licence d'agente immobilière. Ils avaient une vie sociale assez animée – le vendredi soir la friture de poisson à l'Association des anciens combattants, le samedi soir à jouer aux cartes avec Claude et Laurel Owen. Un ou deux poulets rôtis le dimanche après-midi pour telle ou telle configuration de sa famille et de celle de Neal.

C'étaient les poulets, plus que presque tout le reste, qui étaient devenus des marqueurs du temps qui passe pour Jesse. Chaque fois qu'elle en sortait un du sac en plastique et commençait à le laver, à en extirper les abats, à le faire glisser dans un plat en Pyrex avant de le border de quartiers d'oignons tout aussi pâles et translucides, elle pensait : combien de poulets cela fait-il ? Depuis combien de poulets était-elle là, debout à cette place ?

Parfois, elle était étonnée d'être avec Neal depuis plus de vingt ans. Il lui semblait que davantage de choses auraient dû se produire. Lorsqu'elle entendait des couples dire qu'ils avaient tant traversé ensemble, qu'ils étaient des rescapés, Jesse se rendait compte qu'elle et Neal n'avaient pas eu à survivre à grand-chose d'autre que sa crise de calculs rénaux et le moment où elle avait glissé sur une plaque de verglas et passé la main à travers la contre-porte. Bien sûr, ils avaient dû s'adapter à William, ce qu'ils avaient fait il y a quelques années, car c'était devenu trop lourd pour la mère de Jesse. Mais, pour l'essentiel, quand elle repensait à la longue série de jours qu'elle et Neal avaient partagés, ceux-ci se ressemblaient beaucoup.

Or voilà que, tout à coup, il y avait du changement partout à l'horizon. Au cours de l'hiver précédent – après des années et des années à avoir quasiment écarté la probabilité d'avoir un enfant en plus de Willie –, Jesse avait brusquement commencé à se sentir différente de tout ce qu'elle avait pu éprouver auparavant. Plus lourde et en même temps plus flottante. Elle avait tout de suite su et s'était mise à compter les mois.

Ils savaient, d'après le test, que c'était une fille. On leur avait offert un livre de prénoms, mais la plupart leur paraissaient trop pâles et ordinaires. Pour ce bébé inattendu, ils avaient besoin d'un nom exceptionnel afin de le lancer dans la vie avec un petit plus. Bethsabée. Désirée. Jasmine. Ils s'étaient disputés à ce sujet pendant un moment, puis s'étaient mis d'accord sur Olivia, et ce fut tout.

Pendant la publicité, Neal sort de la poche de son T-shirt une tranche de pizza miniature en plastique souple, avec un hameçon suspendu à sa pointe. « Fred Otto m'a donné ce leurre. Il dit que ça attire les perches comme pas possible. Qui aurait pu y penser, mais après tout pourquoi pas ? Tout le monde aime la pizza, pourquoi pas les poissons ?

— Je pense que j'ai vendu une autre maison au lac Fenny, intervient Jesse tandis que William inspecte le leurre. À Alice Avery. L'auberge est un tel succès qu'elle est chassée de sa propre maison. Elle veut un endroit plus en amont du lac, et j'ai précisément la propriété qu'il lui faut. Mon heure de gloire approche à grands pas, je le sens. »

Lorsque *Love Connection* est terminé, ils insèrent une cassette avec les enregistrements des épisodes des deux derniers jours de *Médecins & Infirmières*, un feuilleton auquel ils sont accros. Ou plus exactement, un feuilleton auquel Jesse est accro et qu'elle inflige à Neal et à Willie.

« Pourquoi est-ce qu'elle quitte Rick ? » interroge Neal quand Sarah, cheffe de la pharmacie de l'hôpital (et secrètement dépendante aux pilules amaigrissantes), a jeté un grille-pain à travers sa cuisine avant d'en sortir avec une telle véhémence que la paroi du décor vacille. Neal ne regarde que d'un œil cette émission et perd souvent le fil.

« Il vendait du crack à sa petite sœur. En plus, elle le soupçonne d'être mêlé à un gang asiatique. Moi, je pense plutôt que c'est parce que le téléspectateur moyen n'aime pas le gars qui joue ce rôle. Il a de la fourrure sur les épaules et ça se voit dans les scènes d'amour. Ils vont probablement introduire un nouveau personnage pour aller avec Sarah. Quelqu'un d'aussi pourri, mais de moins poilu.

— Laquelle est sa sœur ? »

Jesse lui pose la main sur la cuisse pour le faire taire. « Voici le meilleur moment », avertit-elle.

Rhonda, l'infirmière sexy et méchante des soins intensifs, est interrogée par des flics. Elle porte sa coiffe d'infirmière bien qu'ils soient au poste de police. Dans tous les autres épisodes des deux dernières semaines, Rhonda a été occupée à dissimuler ses traces après avoir descendu Stephen Poole, un cardiochirurgien de rêve, mais qui avait décidé non sans désinvolture qu'après tout il n'allait pas quitter sa riche épouse pour elle. Quand Rhonda lui a donné un ultimatum – elle ou sa femme –, il a ri. Grave erreur.

Jesse a un faible pour Rhonda. Au début, elle pensait que c'était parce que le personnage était si outrageusement impitoyable, puis pendant un temps elle s'est dit que c'était parce que l'actrice était excellente, mais un jour la vérité s'est imposée à elle : d'une manière subtile mais indéniable – quelque chose dans ses yeux, une lumière au fond du regard, comme si elles partageaient un secret –, Rhonda lui rappelle Marty Finch.

À la fin du deuxième épisode, Jesse sent monter en elle une vague de fébrilité.

Neal, qui peut lire ses humeurs comme s'il s'agissait de la météo, lance : « Et si on allait en ville prendre une glace au *Thirty-One Flavors* ?

— Allez-y sans moi, répond Jesse. Je crois que je vais juste faire une petite promenade. Me dégourdir les jambes. » Pour elle, être enceinte est l'excuse idéale qui permet d'échapper à presque tout ce qu'elle n'a pas envie de faire.

« *Supercuts*[1] ? dit William, la voix frémissante d'espoir.

— Quoi ? » fait Neal, détournant son attention d'une publicité qui met en scène une femme essayant d'attirer au lit un businessman grâce à son parfum.

Jesse passe deux doigts en ciseaux sur le dessus des cheveux de Willie.

1. Chaîne low-cost de salons de coiffure.

« Bien sûr, approuve Neal en haussant les épaules. Pourquoi pas ? »

Ils essaient de limiter ces séances chez le coiffeur à une par mois, mais si Willie devient pathétique, Jesse le laisse y aller plus tôt. Ça ne coûte que dix dollars, et ça le rend si heureux. Il irait tous les jours s'il pouvait. Il en pince pour Darlene, l'une des stylistes, une fille fluette dont la lourde chevelure défaite semble avoir une vie propre.

Jesse passe le bord du pouce sur sa lèvre inférieure en réfléchissant. Ce qu'elle pense en ce moment, c'est que le salon de coiffure se trouve dans un centre commercial éloigné du marchand de glaces préféré de Neal. Et que, si Willie se fait couper les cheveux après avoir attendu Darlene, qui est très demandée, ils ne seront pas de retour avant au moins une heure. Ce qui lui donnerait le temps de partir en voiture pour aller retrouver Wayne Banks pendant quinze minutes.

Debout à la fenêtre, elle les regarde disparaître sur le long chemin. Willie s'est enroulé autour de Neal sur la moto alors qu'ils se dirigent vers la nationale 4 en direction de la ville. Elle se précipite à la salle de bains et met du mascara, puis une noisette de correcteur sur la cicatrice à angle droit le long de sa mâchoire, une giclée de Jontue, et enfile une blouse propre et un jean de grossesse. Elle prend la Ford Bronco et se dirige dans la direction opposée, vers Maple Lanes. C'est mercredi, la soirée de championnat de bowling de Wayne.

Elle connaît son emploi du temps dans les moindres détails. Elle a noté ses horaires à l'intérieur de la couverture de son carnet de rendez-vous d'agente immobilière. C'est essentiel. Elle ne peut pas avoir de vie avec lui, ni même de rendez-vous ou de raisons de le voir. Elle ne peut le retrouver que lorsqu'elle est disponible et, pour cela, doit savoir où il se trouve à tout moment susceptible de devenir une occasion de rencontre. Parfois, même lorsqu'elle ne peut pas le contacter, elle éprouve le besoin de le faire, de toute façon. Une fois, la semaine précédente, elle a été si soudainement submergée par le désir de l'entendre qu'elle s'est arrêtée devant une boîte aux lettres, a laissé le moteur en marche et s'est élancée hors du véhicule avant de réaliser que cela ne suffirait pas. Il faudrait que ce soit une cabine téléphonique.

Tout semble marcher ce soir. C'est comme s'ils étaient tous les deux à l'intérieur d'un mécanisme bien huilé. Sa ligue n'est pas encore en lice quand elle arrive au bowling ; il traîne juste au bar dans son pantalon UPS marron et une chemise noire à manches courtes, avec un liseré doré sur la poche et le nom d'une clinique pour animaux en lettres capitales de satin cousues dans le dos.

Il vient de raconter une blague. Elle le comprend aux rires des gars autour de lui, et au fait que lui ne rit pas mais a l'air vaguement satisfait en prenant une gorgée de bière. Lorsque Jesse franchit la porte vitrée, les lèvres de Wayne se relâchent autour du goulot de la bouteille et il hoche imperceptiblement la tête pour indiquer qu'il l'a vue. Elle fait de la monnaie auprès de Lonnie Powell, qui pèse cent cinquante kilos et remplit presque la cabine ronde d'où il gère ses pistes et loue des chaussures et des boules.

Jesse utilise deux pièces de vingt-cinq cents pour acheter une barre Snickers, qu'elle déballe et mange tout en retournant à la Ford Bronco, garée au fond du terrain de gravier. Elle s'installe sur la banquette arrière et attend derrière la vitre teintée, la portière opposée ouverte pour Wayne, qui la rejoint quelques minutes plus tard. Il détache la pince de son cou, libérant ses cheveux. Il est agenouillé sur le siège au-dessus d'elle, comme un ambulancier avec un patient en crise.

« Oh, *babe* », murmure-t-il, et Jesse a l'impression d'être faite de néon bleu pulsant au rythme d'un juke-box. Elle écarte le col de sa chemise et touche l'os saillant à la base de sa nuque, respire son odeur, un mélange de sueur et d'Aramis.

Cela fait maintenant trois mois que ça dure entre elle et Wayne. Elle était allée à la piste d'atterrissage de Bedelia pour réceptionner un carton de T-shirts imprimés au nom des Cavernes de Pratt avec une vue du xylophone de stalactites. Wayne est le nouveau livreur UPS local, entre autres activités. Il est en train de développer une entreprise autour d'un avion léger. Il fait du fret, saupoudre les récoltes. Cet été, il traîne des banderoles publicitaires au-dessus de la plage du parc national. Wayne a vingt-six ans et la vie est une aventure à ses yeux.

Même maintenant qu'elle est embourbée avec lui, maintenant qu'elle est sujette à des douleurs intimes quand des images de lui se faufilent en elle, même maintenant, elle ne saurait dire pourquoi elle s'est mise dans cette situation. Si quelqu'un lui avait demandé qui pourrait la dérober ne serait-ce qu'un peu à Neal, elle aurait spontanément répondu : « Personne. » Si on avait insisté, elle aurait dit : « Dennis Quaid. »

Wayne n'a rien à voir avec Dennis Quaid ; c'est un type d'homme extrêmement rural. Il vient de l'Arkansas. Cela dit, il s'est un peu baladé, en auto-stop à travers le Sud et l'Ouest, et un été en Europe. Il a un look branché – une petite queue-de-cheval et une oreille percée –, mais cela ne veut pas dire grand-chose. Ce sont des manies qu'il a prises à l'université de Columbia. Il n'a pas suivi un seul cours, il y a juste traîné ses guêtres pendant quelques semestres. Il est revenu avec une malle pleine de romans et des boîtes à chaussures remplies de cassettes de blues. Il pense que parce qu'il lit Jack Kerouac et sifflote Ornette Coleman, son esprit plane au-dessus du reste de la population locale.

Wayne est du genre à partir, ou du moins à parler de partir, tout le temps. Il mâche du chewing-gum et a une sorte de palpitation sous la paupière gauche. Il se déplace d'une façon survoltée par l'attente, regardant en direction des portes et de l'horizon, vérifiant sa montre, peignant ses cheveux dans le reflet des vitrines. Il agace Jesse de toutes les manières prévisibles, mais trouve le moyen d'en ajouter de nouvelles.

Ce vendredi, elle se rend sur la piste d'atterrissage pour le voir. Il veut qu'elle l'accompagne pendant qu'il pratique l'« écriture du ciel », une nouvelle offre qu'il envisage d'ajouter à la branche publicitaire de son entreprise.

« Je ne peux pas, dit-elle tandis qu'ils sont assis ensemble dans l'herbe rase sur le côté du tarmac. Je ne peux pas exposer le bébé à des loopings.

— Reste et regarde d'ici, alors, répond-il. Tu pourras corriger ma grammaire. » Quand elle sourit, il effleure ses lèvres du bout des doigts, en ondulant, comme s'il jouait sur les touches d'un piano. « La mère d'Olivia », murmure-t-il.

Du haut du ciel, il essaie de lui dire « *hi* » dans un sillage de fumée, mais il ne s'exerce que depuis quelques semaines, il a encore du chemin à parcourir. Il commence son « h » trop tard et ça finit par donner « ni ».

Techniquement, ils ne sont même pas amants. Ils sont seulement allés jusqu'à s'embrasser. Cela rend les choses bien pires. Si Jesse n'était pas enceinte et qu'ils couchaient ensemble, s'ils passaient des matinées dans une chambre du motel Mona Lisa, avec ses salles de bains à jacuzzis et son tarif « sieste de 4 heures », elle pourrait ranger ça dans la catégorie liaison et gérer la culpabilité de son mieux.

Mais il s'agit plutôt d'un amour épouvantable. Elle se sent arrachée au sol, secouée. Abêtie. Aujourd'hui, par exemple, elle a dit à Neal qu'elle allait chez le docteur Ruben pour un examen prénatal. Au dîner, il demandera comment ça s'est passé, si bien que, en revenant, elle devra s'arrêter au bord de la route et lire ce qui est censé se passer au septième mois. Et, la semaine prochaine, quand elle aura vraiment rendez-vous avec Ruben, il faudra qu'elle raconte à Neal qu'elle va chez le dentiste et se brosse ensuite avec du bicarbonate de soude dans les toilettes d'une station-service pour que ses dents aient l'air polies à son retour.

Parfois c'est encore pire. Un soir, elle a raconté à Neal qu'elle allait à la supérette pour du liquide vaisselle, puis a utilisé le téléphone public du parking pour appeler Wayne chez lui (il vit avec un colocataire) et le persuader de la rencontrer sur la falaise de Red Arrow Road. Tout cela – la précipitation et les plans tarabiscotés – pour l'embrasser dix minutes dans le noir, à la lueur orangée du tableau de bord de la Ford Bronco, comme des astronautes amoureux.

Elle essaie de garder le reste de sa vie aussi raisonnable que possible, comme si cela pouvait faire contrepoids à sa folie secrète. Elle dresse des listes de courses afin de pouvoir les exécuter dans un ordre efficace. Elle a recommencé à découper les bons de réduction dans les prospectus, ce qu'elle n'a pas fait depuis les premiers jours pleins de bonne volonté de son mariage. Elle consigne tous ses rendez-vous dans l'agenda fourni par son agence et s'efforce d'être ponctuelle. C'est dans cet esprit qu'elle roule à 130 kilomètres/heure, un samedi matin, lorsqu'elle dépasse le panneau indiquant que la vitesse est limitée à 70 à l'entrée de New Jerusalem. Elle se fait arrêter par Dell Potter, qui, lorsqu'ils étaient gosses, possédait la plus grande collection de bandes dessinées du quartier. Maintenant, il travaille pour la brigade routière.

« Oh, Dell, fait Jesse en sortant de sa voiture dans le flash stroboscopique de la lumière bleue.

— Jesse, tu dois arrêter de conduire comme une cinglée. Tu es une femme enceinte.

— J'avais la tête à cette grosse vente que je suis en train de conclure, alors s'il te plaît, ne me fais pas le coup du policier, ok ?

— Herbert m'a dit qu'il t'avait arrêtée il y a quelques semaines. »

Elle se contente de lui lancer un regard amical. Ils savent tous les deux qu'il n'y a aucune chance qu'il lui dresse un PV.

Alors qu'ils négocient en silence, Earl et Thelma Thompson déboulent sur leur Harley rugissante, presque aussi grosse qu'une voiture, peinte en rouge vif, et dont la radio émet une de ces chansons d'une station chrétienne qui pourrait passer pour une chanson d'amour un peu fade, avant de se révéler être à propos de Jésus. Trop de familiarité amicale avec Earl et Thelma est une invitation au prosélytisme, alors Dell leur fait un signe de la tête et Jesse agite une main, tous deux de manière minimale. Et Jesse commence à chanter, mais à voix basse et sans remuer les lèvres, « Je vais aller au paradis sur ma Harley », une blague assez stupide mais qui fait pouffer Dell comme s'ils étaient à l'église.

Quand il se redresse, il dit : « Je vais te laisser partir pour cette fois.

— Dell, dit-elle en posant une main sur son bras au niveau du biceps, veux-tu croiser les doigts pour moi ? Je pense que je vais vendre une autre maison à Alice Avery. L'auberge a fini par prendre toute la place, elle veut un espace rien que pour elle au bord du lac.

— Ce *Skeeters* est la meilleure chose qui soit arrivée ici depuis pas mal de temps, remarque-t-il.

— Je n'y suis pas encore allée, répond Jesse. Je dois être la dernière personne en ville.

— Commande les raviolis à la citrouille », lance-t-il par-dessus son épaule en retournant à sa voiture. La radio émet un message. Il tend la main, sort le microphone et dit : « Voiture 2 », puis fait signe à Jesse qu'elle peut y aller.

Jesse vend des biens immobiliers dans la région des trois villes, New Jerusalem, Bedelia et Clay Center, depuis qu'elle a obtenu sa licence, il y a une douzaine d'années. Jusque récemment, cela consistait à placer les jeunes mariés et les familles dont les enfants avaient quitté le foyer dans des habitations modestes, et tous les autres dans des lieux plus spacieux, bref, à brasser autrement la population. Dorénavant, il y a la nouveauté du lac Fenny, une station balnéaire située à quinze kilomètres de la ville, populaire dans les années 1920 et 1930, détruite par la Dépression et tombée en disgrâce et délabrement depuis longtemps déjà, alors que Jesse était au lycée.

À l'époque, la plage avait été envahie par l'herbe des marais infestée de moustiques, ses bungalows pour la plupart abandonnés, sauf les nuits d'été lorsqu'ils se remplissaient de résidents sulfureux – des couples dont la présence ne se manifestait que par des gémissements sourds, la lueur d'une lampe de poche et de fines traînées de musique provenant de transistors. Et par leurs déchets : préservatifs en peau de mouton usagés et bouteilles vides de Southern Comfort.

Au cours des deux dernières années, cependant, ces bungalows ont suscité l'intérêt de la clique artistique de Saint Louis et de Kansas City, qui les a achetés à bas prix, abattant des murs et perçant des trous dans les toits pour les aménager en ateliers d'artistes, lancer des pots de peinture et même composer de la musique. La population est à la fois méfiante envers ces envahisseurs et excitée par eux, comme s'ils avaient débarqué de nuit aux frontières de la ville dans des soucoupes volantes. Même les gens cultivés – les membres du Palette Club et de la Société de lecture – retiennent leur verdict jusqu'à ce qu'ils aient une meilleure vue d'ensemble, mais ne peuvent pas s'empêcher de continuer à les observer.

Jesse a déjà vendu quatre maisons en bord de lac, dont la plus grande, la vieille horreur de Murchison. La femme qui l'a achetée, Alice Avery, a à peu près l'âge de Jesse. Anciennement cheffe dans un restaurant de Kansas City, elle a retapé le manoir victorien affaissé pour en faire l'*Auberge de Fenny*, avec quatre chambres au premier étage, un sauna au sous-sol (où la rumeur veut que les invités se déshabillent, bien que Jesse n'ait jamais entendu de témoin direct l'assurer) et un restaurant gastronomique,

Skeeters, dans ce qui était autrefois le salon et la salle à manger.

Jesse n'aurait jamais pensé qu'une telle chose puisse arriver ici, où les gens apprécient les gros morceaux de viande trop cuite au centre de leur assiette, et des légumes mous, reconnaissables, à la périphérie. Mais elle avait tort. Il faut réserver deux semaines à l'avance pour pouvoir s'attabler chez *Skeeters* et déguster les magrets de canard saignants d'Alice Avery, les crevettes noircies et les salades aux pétales de fleurs. L'autre soir, Jesse a vu le chef Purdy et son épouse y entrer avec les Elderman, tous sur leur trente-et-un, joyeux et frémissant d'avance le long de l'allée pavée de briques. Comme si tout le monde n'avait attendu que ça : la venue d'Alice.

Jesse est plutôt impressionnée par la façon dont Alice a surmonté la résistance au changement, qui constitue pratiquement la pierre angulaire de New Jerusalem. Au début, elle était envieuse, se demandant pourquoi elle-même n'avait pas pensé à tout cela. Mais, en réalité, ça devait venir d'un étranger pour sembler vraiment nouveau, frais.

« J'ai l'impression que le restaurant d'Alice Avery donne à tous le sentiment qu'une fête est organisée, a-t-elle dit à Neal l'autre jour. Et ils sont flattés d'y être invités. À mort.

— Tu veux y aller un jour ? a-t-il répliqué. Voir à quoi rime toute cette agitation ?

— Je pense qu'il le faut. »

Ce matin, alors qu'elle a rendez-vous avec Alice au bureau de l'agence pour récupérer les clés de la maison du lac Fenny, Jesse se détourne du panneau perforé et remarque qu'Alice la regarde intensément.

« J'y réfléchis depuis un moment, j'essaie de me rappeler où je vous ai déjà vue. Pratt, Pratt, Pratt, je me répétais, mais ça ne faisait pas tilt. Et puis quelqu'un – ça devait être Persis Goudy – vous a appelée par votre nom de jeune fille, et bingo ! Vous êtes Jesse Austin. »

Jesse rit, étonnée. « Cela n'arrive jamais ! » C'est vrai. Personne ne la reconnaît jamais, pour la simple raison que, à son heure de gloire, Jesse était face contre terre sous un demi-mètre d'eau, rasée, coiffée d'un bonnet et le haut du visage derrière des lunettes. Sur les photos de presse, elle était encore trempée et souriait trop largement, ses cheveux (courts alors) grossièrement peignés en arrière avec les doigts. Même sa mère lui avait demandé un jour : « Laquelle es-tu, au fond ? »

Alice précipite Jesse dans l'embarras en continuant à surfer sur cette vague d'admiration. Quel frisson pour elle. « Je n'étais moi-même qu'une nageuse de club moyenne, alors vous pouvez imaginer. Rencontrer une de mes idoles, après toutes ces années ! »

Jesse tente de discerner la nageuse à l'intérieur d'Alice, qui est désormais plutôt enveloppée, vraisemblablement à cause de toute sa bonne cuisine.

« Je me souviens encore de vous dans le petit film sur les Jeux olympiques qu'on nous a montré à l'école…, reprend Alice.

— *Le Courage d'essayer* », enchaîne Jesse, embarrassée au souvenir de ce documentaire. Et, plus encore, d'être capable d'en donner le titre sans réfléchir.

« Qu'est-il arrivé à… – Jesse espère qu'Alice ne s'en souviendra pas, mais il ne lui faut qu'une seconde pour retrouver le nom – Marty Finch ? Quelle nageuse ! Toutes celles qui se sont trouvées sur les plots à ses côtés ont dû avoir les jetons. Vous deviez la détester. »

Au lieu de parler, ce qui lui est tout à fait impossible à cet instant, Jesse se lève et se verse une tasse du liquide grumeleux de la cafetière, éteinte depuis la veille au matin. Ensuite, elle doit feindre d'avaler du café chaud et buvable, mais en même temps elle ne peut pas en offrir à Alice, qui s'aperçoit de ce qui se passe et dit : « Je suis désolée. Je trébuche souvent sur les fils des autres, même lorsqu'ils les ont soigneusement enterrés. » Puis elle pousse la porte. « Que diriez-vous d'aller jeter un coup d'œil à cette maison ? »

Sur le chemin du lac, elle demande : « Alors, vous nagez encore ?

— Non », répond Jesse. Un mensonge de circonstance.

« Il y a une véranda avec moustiquaire sur laquelle donne la chambre du fond », commente Jesse alors qu'elles se tiennent dans le salon vide d'une maison située sur la rive nord, presque inhabitée, du lac. La maison qu'Alice pense s'acheter. Si elle le fait, ce ne pourra plus être le point de rendez-vous de Jesse et Wayne lorsqu'ils ont plus d'une heure à passer ensemble. Un endroit où, assis par terre sur les planches patinées de la véranda, Wayne appuyé contre le mur, Jesse s'adossant à lui comme dans un fauteuil, il soulève ses cheveux et fait glisser sur sa nuque ses lèvres, à la fois charnues et plates, comme celles de Mick Jagger.

Ils font si peu. Leur connexion semble tellement insignifiante à Jesse, une fois qu'elle s'en est éloignée. Dès qu'elle est rentrée chez elle, souvent elle ne se rappelle pas ce dont ils ont parlé.

« Si je faisais tomber ce mur, dit Alice en frappant d'un doigt celui qui sépare la chambre de la véranda, j'aurais une cabane dans les arbres pour dormir.

— Vous pourriez avoir un peu peur ici, la nuit, toute seule. Vous êtes loin du premier voisin. » Jesse se targue d'être une courtière éthique, de ne pas seulement vendre à quelqu'un une maison, mais la bonne maison.

« Je ne serai pas seule, réplique Alice. Une amie de Kansas City va emménager avec moi.

— Ah », fait Jesse, qui se perd si longtemps dans ses spéculations sur la vie personnelle d'Alice que celle-ci éclate de rire.

« Vous êtes tout en subtilité, vous savez.

— Vous voulez dire que je n'ai pas avalé mon chewing-gum ? Je sais. Je suis la finesse même. » Jesse ouvre une porte coincée dont elle ne se souvient pas et passe la tête dans un placard en cèdre. « Vous devez vraiment aimer la vie ici, fait-elle remarquer à Alice. Pour y planter toutes ces racines.

— Je pense que la partie que je préfère, ce sont les racines. J'ai dû déménager environ six fois au cours des dix dernières années. Pour une raison ou pour une autre, fait-elle en balayant de la main de possibles explications supplémentaires. Laisser filer les choses au fur et à mesure, alléger ma charge. Maintenant, je suis pratiquement une Berbère – juste ma tente, mon pot et ma chèvre. J'aimerais me poser un moment. Ajouter une tasse et une assiette. Accrocher une photo. Vous devez comprendre ça. Je veux dire, c'est l'impulsion que vous avez vous-même suivie.

— Parce que je suis restée ici ? dit Jesse avant de secouer la tête. Ce n'est pas une histoire simple. Les gens comme vous...

— S'il vous plaît, ne dites pas "les gens comme moi".

— Je suis désolée. Vous alors. Vous venez de la ville et pensez que *petit* signifie *simple*, alors qu'en réalité ça signifie *compliqué* dans un espace restreint. Ce qui ajoute parfois à la complication. »

Au beau milieu de ces paroles, le fil de ses idées est interrompu par une vision fugace de Wayne. D'abord, elle se dit qu'il s'agit d'une sorte d'association libre, que lorsqu'elle pense « complication » suivent instantanément des images de cet homme. Puis elle se rend compte que c'est son odeur, qu'il y a bel et bien des traces d'Aramis dans l'air. Et elle s'aperçoit que le regard d'Alice se fixe sur quelque chose au-delà de son épaule. Jesse se retourne pour voir.

Il se tient essoufflé dans l'embrasure de la porte. Il a dû voir la Ford Bronco garée dehors et s'est dit… Il a déjà saisi son erreur, mais il est trop tard. N'importe qui le regardant, regardant Jesse, aurait compris. Alice Avery pourrait être un pilier de soutènement qu'elle le comprendrait aussi.

« Mon ami Wayne », dit Jesse. Inutile de prétendre qu'il est le releveur de compteurs.

Il hoche la tête. « Je ne faisais que passer. J'ai vu ta voiture. J'ai un paquet pour toi. La salière et le poivrier. » Il prononce ces paroles, elles les écoutent, et personne n'en croit un mot. Le pire, c'est que Jesse ne peut même pas ressentir de la peur. Sa seule émotion pour le moment est une terrible tristesse. Comme elle doit montrer le reste de la maison à Alice, elle ne pourra pas jouir de ce moment avec Wayne. Leurs occasions d'être ensemble ne sont pas illimitées et elle vient d'en perdre une.

Le soir même, Laurel et Claude Owen sont là pour jouer au Sheepshead[1]. Laurel est la plus ancienne amie de Jesse, c'est-à-dire qu'elles ont grandi dans le même quartier et se

1. Jeu de cartes d'origine bavaroise, également appelé *Schafkopf*, populaire dans les régions du Midwest qui ont connu une forte immigration allemande.

connaissent depuis toujours, avant même la maternelle. Claude est originaire du Wisconsin, où l'on pratique ce jeu de cartes stupide mais irrésistible – où le dix vaut plus que le roi, la reine et le valet, où le carreau est atout, et où des partenariats se font et se défont tournée après tournée –, et il l'a appris à tous. Ils y sont accros désormais, rien ne saurait les en distraire. Ils y jouent la plupart du temps chez Neal et Jesse, afin que Claude et Laurel puissent engager une baby-sitter et s'éloigner de leurs enfants pendant quelques heures.

C'est le tour de Neal, qui examine ce qu'il a pioché, déterminant quelles quatre cartes il « enterrera » pour mettre des points de côté. Cela va prendre une éternité. C'est un joueur incroyablement consciencieux.

« Je peux déplier le canapé-lit pour vous, les amis, annonce Jesse à Claude et Laurel. Au cas où nous ne jouerions pas cette main avant demain matin.

— Je joue encore plus brillamment sous ce genre de pression », déclare Neal. C'est un *mauerer*, ce qui signifie qu'il ne joue jamais à moins de tenir la main du siècle. Et là, il sourit au bonus qu'il vient de tirer de la pioche pour tenter de faire peur à tout le monde.

« Tu vas à l'enterrement de vie de jeune fille de Peg, mardi ? » demande Laurel.

Jesse lève les yeux au ciel.

« Oh, allez. Ça va être amusant. Ils sont censés faire venir un strip-teaseur pour la surprendre.

— J'ai offert à Peggy Palumbo un minifour pour son premier mariage, même si je savais déjà que Greg couchait à gauche et à droite avant la cérémonie. Maintenant, je vais devoir débourser pour de la lingerie sexy qu'elle pourra porter pendant sa lune de miel avec Rich Coombs, qui, comme tu peux l'imaginer, a des ongles de pied longs et jaunes et des taches de pipi sur ses caleçons. Peg n'a pas besoin de mettre de la dentelle noire pour l'exciter. Elle n'a qu'à se présenter. En fait, elle pourrait probablement juste téléphoner.

— Parfois, je regrette de ne pas être né femme, dit Neal sans lever les yeux des cartes. Au lieu de parler de sport et de prouesses sexuelles, je pourrais avoir des conversations profondes et sensibles avec mes copines.

— Ouais, renchérit Claude. Des conversations qui créent des liens. »

C'est Laurel qui a présenté Jesse à Neal, un cousin à elle. Jesse ne le connaissait pas au lycée. Il a grandi à Haney's Corners, est venu à New Jerusalem pour s'occuper de la grotte, dont sa famille lui avait confié la gérance au lieu de celle d'une de leurs fêtes foraines – de véritables nids à problèmes.

Tous les trois, Laurel, Jesse et Neal, étaient allés ensemble à l'anniversaire de la blessure de Ted Gates. Avant de venir travailler à la station Texaco, Ted avait quitté le lycée, s'était engagé dans l'armée et avait été envoyé au Vietnam pendant environ dix minutes, dont une très mauvaise pendant laquelle il s'était fait tirer dessus une quinzaine de fois. Pour commémorer ce petit bout de temps figé, il offrait chaque année quelques tonneaux de bière, épinglait sa médaille Purple Heart sur son T-shirt et laissait quiconque le voulait admirer ses cicatrices. « Gratuitement. »

Jesse avait tout de suite aimé Neal. Elle en était pratiquement éprise au moment où ils avaient quitté la fête. Ils avaient passé la majeure partie de leur temps à parler et à boire des gobelets de bière mousseuse, assis côte à côte sur une balançoire rouillée laissée par le précédent propriétaire de la maison de Ted. Sur le chemin du retour, Jesse avait pris Laurel par l'épaule et, loin des oreilles de Neal, lui avait dit qu'il était la meilleure chose que quiconque ait faite pour elle.

Elle n'avait jamais rencontré quelqu'un de plus sûr, sûr de rester dans sa vie à présent qu'il en avait franchi la porte. Maintenant, elle pouvait désenchaîner ses espoirs de trouver l'amour perdu. Maintenant, elle n'avait plus besoin de se chercher un futur.

Laurel était celle qui avait pris le chemin d'un grand avenir, en premier lieu à l'université, où elle avait rencontré Claude. Lorsqu'ils avaient obtenu leur diplôme, ils s'étaient mariés et avaient commencé à beaucoup déménager pour que Claude puisse créer des franchises *QwikLube*[1]. Ils avaient vécu à Flint, dans le Michigan, à Calgary, au Canada, en Belgique et pendant un an à Abu Dhabi. Chacun de leurs quatre enfants était né dans un endroit différent. Désormais, Claude avait été transféré sur un territoire couvrant les États du centre-sud et travaillait depuis New Jerusalem pour rendre Laurel heureuse. Celle-ci voulait rentrer quelque temps chez elle pour être près de sa mère et de ses sœurs. Elle et Claude étaient de retour depuis moins d'un an et ne savaient pas vraiment combien de temps ils allaient rester avant qu'il soit renvoyé ailleurs.

Quand Jesse songe à Laurel, c'est surtout à ce qu'elle était, à l'école primaire, au collège et au lycée. Elle était si complexée à propos de ses jambes maigres qu'elle avait essayé de convaincre Mlle Thorpe, la prof de gym, de la laisser jouer au basket avec son imperméable. Elle apportait

1. Marque d'une chaîne d'entretien des véhicules.

à l'école d'étranges déjeuners, de mystérieuses soupes et des ragoûts emballés dans un thermos à large ouverture par sa mère, qui était strictement végétarienne. Jesse se rappelle les épaisses tranches de pain noir et dense que Laurel mâchait en silence, tandis que tout le monde à table avait des cheeseburgers précuits et des coupelles de pudding recouvert d'une peau caoutchouteuse.

Jesse estime qu'elle se souvient probablement mieux de sa jeunesse que Laurel elle-même. Avoir vécu toute sa vie dans cet unique endroit lui donne parfois l'impression de tenir le lourd album du passé de ses amis, tandis qu'eux peuvent se déplacer librement dans des présents non meublés. C'est une extension du sentiment qui lui venait dans le pâturage des Goudy, son vélo appuyé contre sa hanche, alors que, petite fille, elle regardait les trains de grande ligne passer en sifflant sur leur trajet entre A et B, New Jerusalem n'étant ni A ni B.

Elle a raté la seule véritable chance qu'elle avait eue de partir lorsque Tom Bellini avait débarqué d'abord à Mexico pour recruter parmi les nageuses américaines, puis dans le Missouri cet été-là, afin de persuader Jesse de donner son nom à une combinaison de compétition produite par son entreprise de vêtements de sport. Il avait apporté un modèle d'usine, conçu comme un pull de tennis, mais avec les couleurs inversées – bleu marine avec un col en V bordé de blanc et de marron. Il voulait qu'elle le signe de son nom, qui serait reproduit sur des milliers de ces tenues, et qu'elle parte ensuite avec lui en tournée de promotion dans dix villes. Elle n'aurait pu dire si cette offre était une tentative pour la séduire.

Mais, à cette époque, elle aspirait à se libérer de la natation, qui semblait lui avoir tant pris et en fin de compte si peu rendu. Et puis, son histoire avec Neal venait juste de commencer, il se tenait solidement et sans ciller devant elle, lui tenant la main de peur qu'elle ne remonte dans l'ozone, s'offrant à elle comme une alternative.

La nuit est si chaude qu'elle ne semble même pas être un répit à la canicule de la journée. Neal a proposé d'installer la table à jouer dans la grotte, où il fait toujours frais quoi qu'il arrive, mais Claude est comme Willie : les cavernes le font paniquer. Aussi tous les quatre sont-ils assis autour de la table de la salle à manger entre deux ventilateurs rugissants, buvant de la bière dans des bouteilles recouvertes de buée de condensation et des Coca versés sur beaucoup de glace, et mangeant des Cheetos au paprika, lesquels, selon Claude, sont le casse-croûte officiel du Sheepshead. La radio du salon est branchée sur une station d'*oldies*. Little Eva[1] chante : « *So come on, come on, do... the Loco-Motion with me.* »

« J'aime imaginer cette scène, dit Claude tandis qu'ils attendent que Neal élabore son plan d'attaque. Ça se passe à une fête. Des gens d'âge moyen, mais toujours des rockeurs. Comme nous. Et il y a une femme noire dans un coin, avec son mari. Ils ont des enfants. Elle travaille pour la compagnie de téléphone. Elle n'est personne, comme tout un chacun. Et puis cette chanson arrive et elle sourit et dit : "C'est moi. J'étais Little Eva." »

Jesse garde le silence. Personne ne fait l'analogie entre les stars à succès unique et les nageurs d'une seule course, membres du même club des attentes déçues.

1. Chanteuse américaine, interprète du titre « The Loco-Motion », qui s'est classé numéro un des ventes aux États-Unis en 1962. Elle a rapidement mis fin à sa carrière.

Elle regarde dans le salon, où Willie exécute une danse boudeuse en solitaire. Il est là, marmonnant et ruminant autour d'eux depuis presque une heure. Il sait, parce que Claude le lui a stupidement dit une fois, qu'il existe une version de ce jeu de cartes pour cinq joueurs qui pourrait l'inclure.

Jesse est extrêmement mal à l'aise. Cela a débuté tout récemment. Elle ne trouve pas de position assise qui ne lui fasse pas mal quelque part. Elle a des gaz affreux. Et l'impression de porter trois bambins qui se chamaillent au lieu de la petite fille dont le docteur Ruben lui assure qu'elle est la seule occupante de son utérus.

Neal remporte les quatre premières levées, ce qui n'augure rien de bon pour leurs chances contre lui. Les atouts tombent comme des feuilles mortes. Il siffle « We're In the Money », tout en enroulant une mèche de sa barbe crépue autour de son index et en regardant vers le ciel. Il ne prend presque jamais la main. Soit il est trop timide pour piocher, soit il a une défaillance nerveuse en cours de route et trébuche sur son plan de match. Jesse se fiche que sa victoire mette son propre score dans le trou. C'est toujours amusant de le voir gagner de façon si théâtrale.

Le téléphone sonne au cours de l'avant-dernière donne.

« J'ai un gros rien, alors jouez comme ça vous chante », dit Jesse en tendant ses cartes à Laurel pendant que sa chaise grince quand elle se lève, comme si elle était hissée par un treuil invisible. Le poste le plus proche est le téléphone mural dans la cuisine. Elle décroche et, avant même qu'elle puisse dire bonjour, il déclare : « Je t'aime. Ça me rend fou. J'ai dû appeler. Ne sois pas en colère. Dis simplement que tu es désolée, que j'ai fait un mauvais numéro. »

Jesse tarde un peu.

« Dis-le.

— Je pense que vous avez fait un mauvais numéro. »

Elle revient lentement vers la table. Elle devrait être furieuse. Au lieu de cela, elle est ravie.

« C'est une erreur », dit-elle à la ronde. Pour éviter d'avoir à donner le sexe de la personne qui appelait.

Dimanche après-midi, Jesse confie la boutique de souvenirs à Linda Mazur – une lycéenne excessivement responsable et de bonne composition qui travaille pour eux cet été –, tandis qu'elle emmène William nager. Elle n'a pas arrêté la natation, contrairement à ce qu'elle a dit à Alice Avery, mais a préféré soustraire cette activité aux regards des curieux et au chronométrage qu'elle récolterait si elle se présentait à l'une des piscines où elle s'entraînait alors, le lycée ou le Country Club. Dorénavant, elle va, et seulement avec Willie, à l'ancienne carrière Tyler. Celle-ci est si éloignée de la ville et cachée derrière un rideau d'arbres qu'elle a été oubliée par une génération d'adeptes de la corde-balançoire et de la chambre à air de camion, et demeure donc perdue pour les suivantes. Depuis plusieurs années qu'ils viennent ici, Willie et Jesse ont toujours eu la carrière pour eux seuls.

Habituellement, il traîne dans sa bouée pendant que Jesse fait des longueurs indolentes. Aujourd'hui ils sont tous deux simplement soulagés d'être immergés à l'abri de la chaleur. Willie paresse dans son pneu pendant que Jesse flotte sur un radeau gonflable, ses cheveux dérivant derrière elle, son ventre formant une petite île. Au bout d'un moment, il s'approche d'elle en pagayant.

« Est-ce que le bébé sortira bientôt ? » Il touche légèrement son ventre.

« Septembre. Il fera plus frais d'ici là.

— Une fillette.

— Oui. Olivia. Tu vas l'aimer.

— Peut-être. » Il lui arrive d'être assez méfiant.

« Oh, Cow-boy », dit-elle. Il la repousse d'une main levée. Il fait semblant de détester (mais en réalité adore, elle en est sûre) ce vieux nom taquin remontant à l'époque où la famille avait des rêves sur ce qu'il deviendrait en grandissant. Avant qu'il ne devienne absolument clair qu'il ne le serait pas.

De sa main, elle protège ses yeux du soleil et le regarde s'éloigner d'elle. Il est étalé sur son pneu, les mollets et les bras submergés, la tête renversée sur le caoutchouc, le sommet du crâne frôlant l'eau. Ses cheveux sont roux comme ceux de Jesse, bien que fins et raides au lieu d'être épais et ondulés, et il en a beaucoup moins maintenant. Elle sait qu'il s'inquiète à ce sujet ; elle l'a surpris en train de se peigner d'une façon et d'une autre devant le miroir de la salle de bains. Darlene, de *Supercuts*, lui a vendu de la mousse coiffante, qui lui fait comme un petit soufflé sur la tête. Il trouve que c'est une amélioration.

Il ressemble à un nénuphar rose avec des taches de rousseur, l'image même du contentement. Toute sa vie, les gens ont dit à Jesse qu'il se pourrait bien qu'il soit mieux loti que quiconque, sans les soucis et les peines habituels, d'un bonheur sans nuage. Elle déteste ces propos. Elle n'a jamais pensé à son handicap comme à quelque chose qui fasse partie de lui, mais plutôt qui l'enveloppe et l'écrase. Comme un pardessus trop lourd qui étoufferait le vrai Willie à l'intérieur. Et pour elle, si l'on proposait à Willie de quitter ce manteau, même si cela signifiait abandonner cette couche protectrice, il sauterait sur l'occasion.

Jesse aimerait bien voir ce qu'il y a dessous. Parfois, le temps d'un éclair, cela arrive ; elle en a un aperçu. Un jour, ils étaient dans le parking de *A&W*. Elle venait de commander deux tasses de *root beer*[1] à l'interphone, s'était tournée vers lui pour lui demander s'il voulait aussi des rondelles d'oignon frites et avait été arrêtée par son expression, qui avait pris l'air pénétrant et concentré de l'âge adulte. Pendant une fraction de seconde, il avait paru habité de pensées et d'inquiétudes, prêt à dire quelque chose. Puis l'expression s'était estompée, ses traits étaient retombés dans leur état habituel d'attente candide, comme si la vie était sur le point de débuter pour lui.

« Vous n'avez rien d'autre de Flannery O'Connor ? » demande Jesse en entendant Vernon Moore remonter le rayon de la fiction jusqu'à elle, son pantalon de toile raide bruissant à chaque pas. C'est un homme de grande taille, un défenseur de football universitaire d'âge mûr, l'ombre de son moi plus jeune et plus athlétique s'attardant inconfortablement autour de lui maintenant que son corps est limité par des allées étroites tapissées de volumes aux pages souples. Jesse sait ce qu'il ressent.

C'est lundi. Elle s'arrête à la bibliothèque surtout pour emprunter des romans policiers destinés à sa marraine. Qui est parfaitement capable de se les procurer toute seule, mais apprécie cette attention.

« Il existe un volume de sa correspondance. Je pourrais l'obtenir par prêt entre bibliothèques, si vous voulez. Cela pourrait prendre un certain temps, c'est tout. »

---

1. Soda à base d'écorce de sassafras ou de salsepareille et de plantes populaire en Amérique du Nord et traditionnellement commercialisé par la chaîne de fast-food *A&W*.

Jesse hausse les épaules. « J'ai probablement le temps. »

Jesse lit pour son perfectionnement personnel, suivant un programme d'acquisitions décousu qu'elle a entamé des années auparavant. Elle s'efforce de se constituer une culture littéraire – pleine de citations importantes, d'observations piquantes et de vérités claires et nettes qu'elle gardera pour elle. L'un des aspects les plus importants de ce programme est que la mère de Jesse, qui a enseigné l'anglais au lycée pendant quarante-trois ans, jusqu'à sa retraite en juin dernier, et qui croit fermement en la littérature, n'est pas censée en connaître l'existence. Elle le prendrait comme un hommage.

Le secret de Jesse est bien gardé avec Vernon. Étant l'un des rares employés noirs de la ville, il est toujours considéré comme un étranger ici. Il vient de Saint Louis et n'est pas satisfait de cette affectation. C'est le système de la bibliothèque d'État qui l'a mis à cette place, imposant contre son gré un peu de discrimination positive à New Jerusalem. En retour, la ville sert à Vernon le genre de respect et de politesse exagérés qui équivaut à de l'ostracisme.

« Tenez. J'ai pensé que cela pourrait vous intéresser », dit-il en lui tendant un livre. Il est neuf, elle s'en aperçoit en éventant ses pages près de son visage et en inhalant le parfum de l'encre, un plaisir hérité de l'enfance. C'est une biographie d'Amelia Earhart.

« Je ne sais pas, Vernon, les biographies me dépriment toujours. Vous voyez ce que je veux dire, elles finissent toutes de la même manière.

— C'est le but. Vous n'avalez que des romans, vous en tirez une vision trop optimiste. Les biographies vous remettent les pieds sur terre. Elles sont prudentes.

— Mais où est la prudence ? »

Il lui tend un paquet ouvert d'oursons Haribo.

« Maintenant, dit-il. C'est *maintenant*, chuchotent les biographies. Bientôt, il sera trop tard. »

Elle emprunte l'Earhart, ainsi qu'une petite pile de polars pour Hallie. Bien que, dans la vie, la marraine de Jesse soit d'humeur égale et traite presque tout le monde avec gentillesse, les livres qu'elle préfère sont des histoires de meurtriers au cœur dépravé et aux méthodes scabreuses. Même si Jesse n'a jamais lu de tels livres, elle se montre de plus en plus douée pour les choisir.

Elle parcourt les deux rues qui la séparent du Fricke Building, le « gratte-ciel » de New Jerusalem où Hallie tient commerce depuis plus de quarante ans. Une seule pièce au bout du couloir au cinquième (et dernier) étage. En lettres peintes à la main sur verre dépoli :

MÉTHODE HARPER
TRAITEMENTS DU CUIR CHEVELU
Mlle H. BUTTS, ENTREPRENEUR

Hallie a ouvert ce salon au milieu des années 1940, alors que la méthode était à son apogée. Comme la plupart des entrepreneurs, elle était restée célibataire, dévouée à sa clientèle. Parmi ses premiers clients figurait le père de Jesse, qui suivait la méthode religieusement.

C'était l'une de ses excentricités embarrassantes (pour Jesse), avec son monocycle, son bonnet de bain en caoutchouc et les chaussettes en laine noire jusqu'aux genoux qu'il portait avec de longs bermudas. Même maintenant, tant d'années après, Jesse le voit encore dans ce salon, sa cape rayée sur les épaules. La méthode est emblématique de toutes les notions farfelues auxquelles il se vouait. Mais elle est aussi importante pour Hallie, qui, bien que cynique à propos de tout le reste, possède une croyance inébranlable et totalement dépourvue d'humour dans l'hygiène du cuir chevelu. Et pour qu'elle ait quatre clients réguliers au lieu de trois, Jesse a fait semblant d'être une convertie tardive.

Jesse pousse la porte dilatée par l'humidité. À l'intérieur, on est en 1946. Dans la salle d'attente, un trio de chaises en vinyle marron et en chrome grêlé borde le mur, sans personne pour s'asseoir dessus depuis quelques années. L'immense et unique fenêtre, encadrée de bois sombre verni, est obstruée par un ventilateur sur pied géant qui tourne lentement dans l'air stagnant. Même si sans doute personne d'autre que Jesse n'est attendu ce jour-là, Hallie, vêtue de son uniforme en nylon blanc brillant, est assise dans le fauteuil de traitement hydraulique, en train de tirer sur une Pall Mall et de lire *Le cadavre a pris le taxi*. Elle lève les yeux et sourit.

« Oh là là, qu'avons-nous ici ? ma petite dose de drogue ? » Elle écrase sa cigarette, se lève et vient regarder les livres.

« Je ne me souviens pas de t'avoir déjà apporté celui-ci », lui dit Jesse en prenant *Cause du décès : blonde*.

Hallie secoue la tête en parcourant le reste des titres. « Non. Tu as bien fait. Ce sont tous du sang frais, du nouveau gore. »

Elle pose la pile sur l'une des chaises. Quand elle se redresse, elle regarde l'horloge murale, dont la trotteuse balaie l'image d'un pot blanc de pommade Méthode Harper.

« Eh bien, est-ce que ça ne tombe pas à pic ? Mon rendez-vous de deux heures et demie a été annulé, dit-elle pour la forme. Si nous nous y mettons tout de suite, je peux probablement te caler. Et... » Elle s'interrompt pour détacher les cheveux de Jesse, frottant quelques pointes entre ses doigts professionnels. « ... tu as l'air d'avoir besoin d'un traitement. »

Jesse s'agrippe aux accoudoirs du fauteuil et s'installe avec difficulté. Elle lève les yeux vers les bras d'Hallie, costauds d'avoir travaillé sur les cuirs chevelus de trois générations. À présent, la peau se détache du muscle noueux ; elle est encore robuste, mais d'une manière mal assurée.

Elle renverse une canette de son sur les cheveux de Jesse, saisit une brosse à dos de bois en poils de sanglier et commence les implacables va-et-vient.

Pendant une minute ou deux, alors qu'Hallie prend son rythme, on n'entend plus que le claquement des pales du ventilateur et de la brosse, et le chuintement des semelles foulant le son répandu sur le sol. Elle s'arrête un instant pour tirer une brochure du cadre du miroir et la tendre à Jesse.

« Joy est passée me laisser ça. Elle dit que c'est une excellente affaire. »

La brochure, dont la couverture est un collage de photos du Colisée, de la fontaine de Trevi et du plafond de la chapelle Sixtine, annonce une excursion de dix jours à Rome, la « Ville éternelle », comme Hallie l'appelle, empruntant la formule à d'autres brochures. Elle et Jesse planifient un voyage là-bas depuis longtemps, depuis cet après-midi, plusieurs années auparavant, où elles s'étaient rendues à Hot Springs, dans l'Arkansas, pour écumer les pièges à touristes. Pour rire, elles étaient entrées dans la boutique à la vitrine rose et or d'un astrologue, à deux portes de l'Académie des animaux, où, pour deux dollars, on pouvait voir un poulet picorer des mélodies sur un petit piano et quatre chiens assis à une table en train de jouer aux cartes.

L'astrologue, Cecil Luster, leur avait dit qu'elles étaient spirituellement liées. Que cette connexion s'était formée dans la Rome antique et qu'elles finiraient toutes les deux par y retourner. Une fois plantée dans leur esprit, cette révélation, si improbable fût-elle, avait titillé leur imagination et leur avait valu des années passées à se sentir mystérieusement unies l'une à l'autre et rattachées à un endroit exotique, un passé inconnaissable.

« Penses-tu que nous irons vraiment un jour ? » demande rêveusement Jesse, dont la tête s'abaisse en rythme sous les coups de brosse.

Les arguments allant contre la possibilité qu'elles puissent se muer en voyageuses libres comme l'air avaient gagné en force au fil du temps. Mis à part pour assister aux Jeux olympiques et à trois conventions sur la Méthode Harper à Rochester, dans l'État de New York, dont la dernière remontait au début des années 1960, Hallie ne s'était guère aventurée au-delà du Missouri et de l'Arkansas en soixante-cinq ans. Ni elle ni Jesse n'étaient allées nulle part, à proprement parler, depuis Mexico.

« Eh bien, je me suis toujours sentie un peu frustrée ici, ajoute Hallie. Et je peux être assez emballée par les émissions sur les voyages qui passent à la télévision. Elles donnent l'impression qu'on peut voyager n'importe où en moins de deux. Mais quand j'essaie d'imaginer que j'y vais moi-même, que je m'active assez pour attraper l'autocar, tout ce à quoi je peux penser, ce sont toutes les fois où je pourrais me retrouver dans l'erreur ou dans l'embarras. »

Elle pose la brosse, réchauffe ses paumes en les frottant de haut en bas sur ses hanches pendant une minute, puis prélève une copieuse noix de pommade dans un grand pot ouvert et commence à la faire pénétrer dans le cuir chevelu de Jesse.

« Comme d'oublier avant de partir une de mes ordonnances. Je suis si absorbée par les préparatifs du voyage que je la laisse sur le plan de travail à la cuisine. Et après, je me retrouve dans un endroit bizarre. Pas un endroit agréable où je passe un moment merveilleux, juste une sorte de lieu étrange. Et je dois dégoter une pharmacie, ou ce qui existe là-bas de plus proche d'une pharmacie. Il s'avère que c'est une échoppe avec une vitrine remplie de bouteilles, de liquides troubles, de racines macérant dans des flacons de sirops épais. Avec un sabot séché sur le comptoir. Et, bien sûr, comme je ne connais pas la langue, je dois mimer mon problème pour me faire comprendre du pharmacien. Quelque chose d'affreusement embarrassant.

— Des hémorroïdes ? suggère Jesse.

— Une mycose plantaire ferait l'affaire.

— Eh bien, nous sommes dispensées pour le moment de montrer que nous sommes capables de partir en voyage, dit Jesse en se tapotant le ventre. On ne partira pas tant que le bébé ne pourra pas se passer de moi pendant un certain temps, ou jusqu'à ce qu'il soit assez grand pour qu'on l'emmène. »

Le vieux téléphone à cadran posé sur le présentoir des brosses et des shampoings à vendre se met à retentir, déchirant l'atmosphère endormie du salon.

« Ça ne rate jamais, dit Hallie en levant ses doigts enduits de pommade. Probablement mon rendez-vous de trois heures et demie qui prévient qu'elle sera un peu en retard. » Elle attrape une serviette et essuie rudement ses grandes mains avant de décrocher. Jesse peut deviner en quelques secondes qu'il s'agit d'un appel personnel, et en moins d'une minute que c'est la meilleure amie d'Hallie, sa propre mère.

« Trop de tracas », déclare Hallie. Jesse regarde par-dessus la main luisante de sa marraine, qui a écrit « café » en lettres majuscules enfantines sur un bloc-notes. « Pourquoi ne pas louer simplement un de ces grands percolateurs chez *U-Rent*[1] ? » Jesse comprend qu'il s'agit de l'un des cent détails de la grande fête qu'Hallie organise à l'occasion du soixante-cinquième anniversaire de Frances, qui prend sa retraite de l'école publique. Jesse est sur la liste des invités – elle et sa mère essaient de tenir leur différend à l'écart des commérages de la ville –, mais elle n'est incluse dans aucun des préparatifs.

Après avoir raccroché, Hallie tire une boîte plate de l'étagère du bas dans le comptoir en verre, l'ouvre et offre à sa filleule un abricot enrobé de chocolat – une friandise d'enfance de Jesse. Elle les garde pour les fois où Jesse lui rend visite. Ni l'une ni l'autre ne parlent pendant un bon moment. Hallie reprend de la pommade et se remet au travail sur le cuir chevelu de Jesse. Enfin, elle annonce : « Je te fais confiance pour traiter l'information que je vais te révéler avec tact.

— Je suis le tact incarné, dit Jesse en se redressant sur la chaise, comme si elle améliorait ainsi sa posture morale.

1. Entreprise de location de matériel.

— Le fait est – et ce n'est pas si époustouflant que ça, si tu y réfléchis bien – que ta mère s'est trouvé un petit ami.

— Mon Dieu. » Jesse essaie de s'imaginer la chose, de visualiser sa mère à un rendez-vous amoureux. À sa connaissance, Frances n'est jamais sortie avec un autre homme que son père, et c'était avant sa naissance. Au cours des vingt et quelques années qui se sont écoulées depuis la mort de cet homme, elle a mené une vie sociale fondée sur le bridge du jeudi soir, un abonnement au théâtre d'été *Lakeside* et des déjeuners occasionnels au *Tea Caddy* avec l'un ou l'autre de la petite troupe d'amis qu'elle possédait depuis qu'elle avait obtenu son diplôme à l'université, avant d'en revenir et de s'intégrer à la classe moyenne de New Jerusalem. Des méthodistes, par opposition aux épiscopaliens ou aux baptistes.

Comme beaucoup d'épouses, elle avait vu son mari se lancer dans les affaires, devenir chauve et passer de plus en plus de temps à lire les journaux, développer des opinions de plus en plus tranchées sur ces lectures, puis mourir plus tôt que prévu d'un cancer, de problèmes au foie ou d'une crise cardiaque. En l'occurrence, les affaires de Ray Austin étaient la pharmacie de Willow Street, où il dispensait des conseils médicaux comme s'il était médecin. Et ses opinions n'étaient pas seulement devenues plus tranchées, mais de plus en plus excentriques au fil du temps. Lorsqu'il était mort – bien plus prématurément qu'on n'aurait pu s'y attendre, d'une crise cardiaque massive alors qu'il jouait du tuba lors du défilé du 4 Juillet –, Frances devait être épuisée par les efforts qu'elle avait déployés pendant près de vingt ans pour ne pas être embarrassée par cet homme, soupçonnait Jesse. Après cela, elle avait remisé ses bagages conjugaux et sexuels pour se caler dans une vie sociale parmi d'autres veuves et suivre un calendrier rempli de riens qui semblait pourtant ne laisser aucune place aux « petits amis ».

« Il s'appelle Darrell, poursuit Hallie, d'un ton toujours sérieux, comme si elle parlait de quelqu'un en train de mourir plutôt que de tomber amoureux. Il fait partie d'un groupe de rock au *Blue Light.* Ils se sont produits au bal de l'église il y a quelque temps, c'est comme ça qu'elle l'a rencontré. Il n'est pas celui auquel tu pourrais t'attendre. Je veux juste que tu sois gentille avec elle si tu la croises.

— Je suis toujours gentille.

— Dans ton cœur tu es toujours gentille, mais dans ta bouche il y a parfois une toute petite touche de sarcasme.

— Et ce Darren risque de provoquer ça ?

— Darrell. N'oublie pas que cette relation rend vraiment Frances heureuse.

— Il a une énorme verrue, devine Jesse. Sur le nez. Ou, non… attends. Il porte une bavette. »

Habituellement, Hallie serait aussitôt entrée dans son jeu, mais aujourd'hui Jesse peut sentir une résistance sous les doigts de sa marraine avant qu'elle ne cède. « C'est une bosse extrêmement *petite.* »

Elles se taisent un moment. Un silence plane, empli de leurs pensées.

« Un petit ami, reprend finalement Jesse. Un rockeur. J'aurais pensé qu'elle en avait soupé des conneries, avec papa.

— Allez, tempère Hallie en tapotant la tête de Jesse avec le dos de la brosse à cheveux. Ce type est un vrai Roméo, paraît-il. Ta vieille mère se lâche un peu.

— Elle est un tel casse-tête ! Je pensais que les gènes étaient censés vous procurer certaines affinités, mais… je veux dire, en dehors de tous les problèmes qui existent entre elle et moi, je n'ai jamais vraiment éprouvé le lien qu'on est censé ressentir. Est-ce que ça fait de moi quelqu'un d'horrible ? » Alors qu'Hallie garde le silence, Jesse ajoute : « Je pense que la vérité est que tu es secrètement ma mère. Comme dans ces vieux films – avec Olivia de Havilland, Barbara Stanwyck... tu sais. Tu étais enceinte, mais tu n'étais pas mariée, alors que pouvais-tu faire ? Tu t'es enfuie à Jefferson City pour accoucher. Et puis tu as convaincu maman de dire que j'étais à elle et à papa. Et pendant toutes ces années, tu as dû m'aimer – tragiquement – de loin.

— Chérie, si je t'avais eue, ça n'aurait été que la deuxième immaculée conception de l'histoire. » C'est la réplique imparable d'Hallie : elle a mené une vie de célibat, au-dessus des magouilles sexuelles de tout le monde. Jesse sait que cela ne peut pas être vrai, elle le sait parce qu'elle connaît toutes les autres facettes d'Hallie. Il y a un vide à cet endroit, plutôt qu'un déni, quelque chose qu'Hallie a choisi de ne pas révéler jusque-là. Ce n'est pas un problème. Jesse peut attendre. Hallie est la seule personne à qui elle a eu le courage de parler de Wayne, c'est-à-dire la seule personne à qui le dire n'a pas exigé de Jesse du courage. Son amour pour sa filleule a toujours été inconditionnel. Jesse la teste tout de même. « Est-ce que tu m'estimes moins pour ce que je fais ?

— Ton timing est intéressant, je dirais.

— Il faut que j'arrête. On a failli se faire prendre samedi. En fait, je suppose qu'on s'est fait prendre. Mais c'était par Alice Avery, et elle est tellement branchée, et tout et tout.

— Et elle a ses propres secrets, apparemment. Tout le monde attend de pied ferme de voir qui elle va ramener pour vivre avec elle. Je pense qu'Opal Leach est en train d'installer au bureau de poste un fax pour faire circuler la nouvelle instantanément. » Hallie pétrit le cuir chevelu de Jesse pendant quelques instants tout en restant suspendue dans sa rêverie. Enfin, cela lui échappe. « Bon Dieu, j'adore la cuisine de cette fille.

— Je ne sais même pas pourquoi je le fais, poursuit Jesse. C'est tellement pernicieux. Tu sais que j'aime Neal de toute mon âme. Et maintenant, le bébé. Je ne comprends tout simplement pas. C'est comme si quelque chose m'envahissait.

— Le diable, lance Hallie sur un ton de mauvais film d'horreur.

— Ça se pourrait. Franchement.

— Nous pourrions t'emmener jusqu'à Canaan. Il y a un vieil homme là-bas qui est sourcier et qui pratique des exorcismes à la demande, dit-on. Il a installé quelque chose dans son jardin. Des courants électriques au clair de lune. »

Jesse lève la main et retient un instant le poignet d'Hallie.

« C'est juste que j'en ai envie, tu sais ? C'est aussi simple que cela. Je veux quelque chose que je ne peux pas avoir, mais je le veux quand même et donc je le prends. Et puis, parce que je ne supporte pas de me montrer si égoïste, je dis à quel point je sais que c'est mal. Comme si cela m'exonérait. »

Aucune d'elles ne parle pendant un moment, puis Jesse remarque : « Est-ce que tu fais exprès d'être dure avec moi aujourd'hui ? J'ai l'impression que tu creuses un trou dans mon cerveau.

— Non. Ce n'est que le traitement standard. Je facture un supplément pour la version musclée. »

Mais lors de sa rencontre suivante avec Wayne, Jesse n'a tout simplement pas le cœur de mettre fin à leur histoire. Elle est chez lui en milieu d'après-midi. Sur la porte de leurs bureaux respectifs, une petite enseigne en forme d'horloge indique : DE RETOUR à 16 H.

Wayne vit en appartement dans un lotissement près de l'aéroport du comté. L'aménagement intérieur est ordinaire, tandis que l'extérieur est de style faussement anglais. Le lotissement s'appelle « Les Écuries du Hampshire ».

Le colocataire de Wayne, Stan Feder, qui travaille dans une chaîne de quincailleries, est en déplacement à Saint Louis pour un séminaire de peinture. C'est une occasion rare pour eux. Wayne voulait inviter Jesse à dîner, mais elle n'était pas prête aux manœuvres que cela aurait nécessitées. Elle est donc là pour le thé, ou du moins l'idée que Wayne se fait du thé, une idée qui lui vient des films et des livres, pense-t-elle. Le thé lui-même est lyophilisé. Les pâtisseries consistent en de petits gâteaux Little Debbie[1], disposés sur une assiette en plastique usée. Il a également sorti des serviettes en papier de couleur. L'appartement est équipé d'un climatiseur, qui ajoute sa part de bourdonnement et de refroidissement à l'atmosphère. Jesse doit emprunter à Wayne un sweat-shirt dès qu'elle a franchi la porte. Même s'il est de grande taille, le bas lui serre le ventre comme un élastique.

Wayne a mis Alberta Hunter dans le lecteur de CD. Tout, dans cet appartement, est abîmé ou cassé, et à vrai dire était déjà de la camelote à l'état neuf. Sauf la chaîne hifi, qui coûte plus cher que la voiture de Wayne.

---

1. Marque de pâtisserie industrielle connue pour ses biscuits et ses gâteaux préemballés.

Il a un cadeau pour elle, une robe. Elle est en satin noir, jusqu'aux genoux, avec des revers en dentelle noire. Jesse devine d'après la boîte de *Victoria's Secret* qu'il est allé jusqu'au centre commercial de Jefferson City pour l'acheter.

« Joyeux anniversaire », dit-il. Son anniversaire est en mars. « Je ne veux pas que tu portes ça maintenant. C'est pour après. »

Elle garde le silence.

« Je peux la garder ici », déclare-t-il.

Elle se met à pleurer.

« Ne dis rien », ajoute-t-il, même si elle ne parle toujours pas.

Il coupe en deux un petit gâteau et en met une moitié dans son assiette, puis lèche une noisette de garniture blanche sur son pouce. « Je sais que c'est dur pour toi. Je pense juste que, peut-être, après l'arrivée du bébé… »

Elle prend sa tête entre ses mains, pour qu'il s'arrête. Elle sait déjà où ça va. Wayne pense qu'une relation avec une épouse et une mère sera moins difficile qu'une relation avec une femme enceinte. Elle le soupçonne d'espérer la persuader de quitter Neal et New Jerusalem, et de s'envoler avec lui dans son coucou.

Tout cela est inconcevable pour elle. Même dans l'intimité de son esprit, elle ne va jamais plus loin que ce qui se passe réellement. S'embrasser dans des voitures, écouter de la musique bluesy, elle impossiblement enceinte, lui impossiblement jeune, tout cela se conjugue pour elle au présent. Tout est là. Elle ne trouve aucune place où accrocher le moindre espoir.

« Oh, excusez-moi », dit quelqu'un. Jesse se retourne pour découvrir que le chariot de supermarché qui vient de la heurter par-derrière est poussé par sa mère. Elle se trouve dans la file express et Jesse a posé son paquet de bœuf haché, une boîte de salade de macaronis et une assiette d'entrées toutes faites sur le tapis roulant, prêts à passer en caisse pendant qu'elle lit un journal à sensation tiré du présentoir qui borde le comptoir. Sa mère l'a attrapée juste au moment où elle cherchait le scoop annoncé en une sur un bébé né avec un tatouage sur le bras.

« Je vais devoir te dénoncer », avertit Jesse en montrant du menton le chariot à moitié plein de sa mère, alors que le panonceau suspendu au-dessus de la caisse annonce DIX ARTICLES OU MOINS. Essayer de la mettre sur la défensive est en général la meilleure façon d'entamer la conversation avec Frances.

« Wendy et moi avons un accord », justifie sa mère. Wendy est la caissière, qui a toujours l'air d'avoir treize ans bien qu'elle travaille ici depuis des années.

Jesse aurait bien aimé ne pas avoir un plat tout prêt à quatre-vingt-dix-neuf centimes sur le tapis ni un tabloïd à la main. Deux des croyances les plus chères de sa mère à son propos sont qu'elle est coincée juste au-dessus des seuils respectifs de pauvreté et d'alphabétisation.

« Hallie m'a dit que tu t'étais trouvé un soupirant.

— Eh bien, je vois quelqu'un. »

Voir quelqu'un. Les mots ont une résonance incroyable dans la bouche de cette femme – la sonorité étrangère et métallique d'une déclaration folle, comme si elle citait un titre du journal que Jesse vient de remettre dans son présentoir. Comme si elle affirmait qu'Elvis était vivant et habitait avec Natalie Wood dans une station-service du désert de Mojave. Jesse espère ne pas avoir l'air amusée.

« Tu pourrais effacer ce sourire narquois de ton visage », commente sa mère alors que Wendy tend sa monnaie à Jesse, en laissant comme d'habitude tomber les pièces sur les billets d'un dollar pour qu'ils glissent sur le tapis roulant. Jesse ramasse le tout et fourre les billets pliés et le ticket de caisse dans la poche arrière de son jean.

« Hey, je suis… », commence Jesse, ne sachant pas trop où elle va.

Mais Frances s'affaire déjà à sortir du chariot ses plats surgelés et ses packs de lait écrémé et de désodorisant, décochant à Wendy un faux sourire flétri, celui qui, selon elle, l'a rendue populaire depuis des années auprès des commerçants.

En dépit du bon sens, Jesse tente de sortir de cette impasse. « Je veux dire, j'aimerais le rencontrer », ajoute-t-elle, détournant l'attention de sa mère de Wendy, mais non son sourire, qui demeure intact.

« Je n'en doute pas. »

Jesse attend juste assez longtemps pour constater que c'est tout, la conversation est close, puis elle jette ses clés en l'air et les rattrape pile au-dessus de sa tête alors qu'elle franchit le seuil de la porte automatique et se dirige vers le parking.

« Alice ? » demande Jesse à un type à l'allure étudiante qui éteint un aspirateur lorsqu'elle pénètre dans la salle à manger.

C'est un jeudi matin, tôt ; elle apporte le contrat d'achat de la maison à l'*Auberge de Fenny*.

« Cuisine », dit-il en lui indiquant du doigt la direction.

Jesse franchit la porte battante et, à la vue d'Alice dans un long tablier, se met à rire.

« Quoi ? fait celle-ci.

— Vous ressemblez à un chef.

— Eh bien, qu'est-ce que vous croyez ? » Elle désigne d'un signe de tête le dossier en similicuir que tient Jesse. « C'est le moment d'hypothéquer ma vie, hein ? Vous avez pris le petit déjeuner ? Pourquoi ne me laissez-vous pas vous préparer une omelette ? J'ai abandonné l'espoir de vous voir un jour dans cette salle à manger. Autant vous nourrir dans ma cuisine. »

Comme il n'y a pas de chaises, Jesse se hisse sur un tabouret en bois contre le mur, ce qui réveille juste derrière son omoplate droite une vieille douleur causée par une particularité de son coup de bras, un mouvement infinitésimalement faux, mais répété un million de fois au fil des longueurs d'entraînement de sa jeunesse. Le préjudice n'a pas été tout à fait pardonné par le muscle lésé, qui ne rate jamais une occasion de le rappeler.

Alice prend une poêle en cuivre sur une étagère au-dessus du fourneau en fonte, et l'enduit d'une demi-plaquette de beurre. Dans un bol en métal, elle casse des œufs d'une seule main, les bat avec un fouet métallique, râpe une petite montagne de fromage suisse dans une assiette.

« J'ai une de ces poêles double face, elle fait le boulot pour vous, dit Jesse. Je suppose que je devrai la cacher si jamais vous passez à la maison. Sans oublier mes bocaux de bacon émietté, de sel assaisonné. Toutes mes fiches de recettes. »

Après avoir saupoudré le fromage sur les œufs frémissants, Alice effectue un petit mouvement de poignet qui à la fois retourne l'omelette sur elle-même et la déplace d'un côté de la poêle. Lorsqu'elle est cuite, elle la glisse sur une assiette et la tend à Jesse, avec une fourchette et une serviette. Elle leur verse à toutes les deux de grandes tasses de café et pose celle de Jesse sur le rebord de la fenêtre, à côté d'elle. Puis elle s'essuie les mains sur un torchon coincé dans la taille de son tablier et s'adosse au gros billot qui se dresse au centre de la pièce.

« Mangez. Je vais regarder les papiers. » Elle ouvre le dossier que Jesse a apporté et parcourt le contrat. Puis elle sort un gros stylo-plume d'une poche de poitrine et le signe.

« Ce sont les œufs les plus délicieux que j'aie jamais mangés, déclare Jesse. Je suis fière de vendre une maison à la personne qui les a préparés. »

Alice sourit. « Bien. Allons nager.

— Je vous l'ai dit, je ne nage plus.

— Je ne sais pas pourquoi, mais je n'y crois tout simplement pas. »

Jesse termine l'omelette.

« Alice, j'apprécie votre cuisine et votre achat de cette maison, et je vous apprécierais même sans ça, mais je ne suis pas comme vous. Ici, c'est un endroit différent de celui d'où vous venez. J'ai mon mari et ma marraine. Mon frère. Je n'ai pas beaucoup d'amis. Vous semblez me trouver intéressante mais je pense, moi, que je suis aussi banale qu'on peut l'être. Ou peut-être que je suis une personne ordinaire qui a juste l'air intéressante. Une personne ordinaire avec quelques bâtons de dynamite attachés à sa poitrine. Je sens que vous nourrissez toutes ces questions sur moi. Vous avez trébuché sur mon grand secret, et j'espère que vous le garderez pour vous. Mais d'ordinaire, je ne fais pas de confidences. Et je déteste les commérages autour de votre restaurant.

— Vous m'en direz tant, ironise Alice. La personne que j'aime arrive à la fin du mois et je peux déjà pratiquement sentir les récepteurs téléphoniques décrochés, tous ces doigts démangés par l'envie de presser le bouton…

— Peut-être que je suis trop brutale ?

— Je ne m'en offusque pas, si c'est ce que vous voulez savoir. »

Cela semble mettre un terme passable à la conversation, aussi Jesse s'étonne-t-elle d'avoir l'impression que ce n'est pas le cas pendant les deux pâtés de maisons qu'elle longe avant d'opérer un demi-tour, de s'arrêter face à la porte de la cuisine d'Alice et de sauter de la voiture. « Eh bien, allons-y », lance-t-elle en passant une tête à l'intérieur, avant de montrer la Ford Bronco qui tourne au ralenti sur le parking.

Au bord de la carrière, tandis qu'Alice et elle retirent leurs vêtements, Jesse, qui s'est déshabillée devant des milliers d'étrangers dans des centaines de vestiaires, se sent soudainement, imprévisiblement, pudique. Elle accroche son T-shirt à une branche cassée et couvre de ses mains ses seins enflés tout en se retournant vers Alice. « Personne ne m'a vue aussi grosse, sauf mon médecin et mon mari. »

Alice hoche la tête, fascinée, et observe Jesse remonter son maillot sur son ventre. « Ouais. Être enceinte, c'est quelque chose. »

Une fois dans l'eau, elles dérivent l'une autour de l'autre dans les chambres à air. D'une certaine manière, Jesse a l'impression de trahir Willie en amenant ici quelqu'un d'autre.

« Comment est-ce que ça peut rester si froid par cette chaleur ? demande Alice tout en promenant ses doigts dans l'eau bleu-noir.

— La profondeur, je suppose. On dit que cette carrière est si profonde que personne n'en connaît le fond.

— Comment se fait-il que vous ayez changé d'avis ? Sur le fait de m'amener ici ?

— Je ne sais pas. J'ai l'impression de ne plus trop savoir qui je suis, ces jours-ci. Je vous dis que je ne veux pas que vous fouiniez dans ma vie, puis je vous amène dans mon coin le plus intime.

— Je ne veux pas que vous pensiez que j'en veux à vos secrets. Ce n'est pas ça. Je cherche seulement un moyen de vous connaître.

— Alors pourquoi est-ce que je continue à sentir toutes ces questions en suspens ? Celles que vous posez, celles que je peux entendre même si vous ne les posez pas ? »

Alice garde le silence. Jesse essaie de capter son expression, mais elle n'y arrive pas. Le soleil derrière Alice place son visage à contre-jour.

« Pourquoi voulez-vous savoir ce qui s'est passé là-bas ? demande Jesse.

— À Mexico ?

— Oui.

— Je ne sais pas. Je pense juste que c'est peut-être le point de départ. »

Jesse abandonne son pneu et nage pendant un certain temps, des traversées lentes et puissantes d'un bout à l'autre de la carrière. Puis elle plonge, refait surface au centre de sa chambre à air, incline la tête en arrière et trempe ses cheveux dans l'eau pour dégager son visage.

« D'accord. Cet été – 1968 –, Marty est sortie de nulle part. On l'appelait “la Machine australienne à dévorer de l'eau”. On aurait dit qu'elle était apparue au bord de mon horizon pour devenir ma pire crainte. J'étais sortie victorieuse des championnats nationaux au cent mètres nage libre. Mes chronos étaient vraiment bons avant Mexico. Ce qui aurait dû me donner toute la confiance du monde. Mais ce n'était pas le cas.

« Les rumeurs n'arrêtaient pas de circuler. Marty Finch était un fantôme, une nageuse-née. Bien sûr, à ce niveau, même les talents doivent travailler, mais il leur reste l'allure de l'époque où ils pouvaient s'en passer.

« J'avais dix-sept ans, une péquenaude du Missouri. J'avais passé quelques mois en Floride, au Sea Breeze, vous vous en souvenez ? Ils produisaient des gagnants comme les usines produisent des Buick. J'étais la dernière à sortir de la chaîne. En fait, je suis arrivée à Mexico en bûchant – une infinité de longueurs d'endurance et d'entraînements au sprint. Vous ne pouvez pas savoir. Ils ne me sortaient de l'eau que lorsque mon dos devenait bleu.

— Comment ça ?

— C'est quand le cœur ne peut plus pomper assez de sang. J'étais la-petite-locomotive-qui-pouvait-y-arriver. Je suppose que beaucoup de gens pensaient que je gagnerais ma série, mais personne ne m'aurait jamais appelée une dévoreuse d'eau. C'est ce qui m'a troublée, je crois.

— Et puis vous l'avez rencontrée, dit Alice, comme si elle était à l'intérieur de l'histoire.

— Oui. Je m'attendais à ce qu'elle me snobe, mais dès le début, le premier soir au dîner international, elle est venue s'asseoir près de moi. »

(Les mots de Marty résonnent dans sa mémoire. « Soyons amies, ce sera plus amusant. »)

« Vous ne vous êtes pas un peu méfiée ? demande Alice.

— Je ne sais pas. J'étais surtout terriblement curieuse. Je n'avais jamais connu personne comme elle. Elle n'avait que dix-huit ans, mais elle donnait l'impression d'avoir compris qui elle était et de s'être réinventée de la tête aux pieds. Je suppose que j'ai craqué pour son arrogance. »

Ce que Jesse ne trouve pas le moyen de dire, c'est que c'était la première fois qu'elle tombait amoureuse, qu'elle n'y était pas du tout préparée et qu'elle ne s'attendait certainement pas à ce que cela se passe avec sa plus grande rivale. Mais, bien sûr, avec le recul, ça n'avait rien de surprenant. Toute son adolescence avait été mesurée en longueurs – en chronomètres, en fréquence cardiaque et en grammes de protéines. Elle avait été comprimée pendant si longtemps à l'intérieur d'une petite coquille de discipline, comme une grenade. Une grenade que Marty venait de dégoupiller.

« "Tu ne veux pas jouer les filles indignes ?" disait-elle.

— *Indigne*... ? s'étonne Alice.

— Je ne savais pas ce que ça signifiait, reprend Jesse en riant. Mais je voulais vraiment le savoir. Nous avons commencé à sortir en douce. En ville. Sur le toit, la nuit. »

Ou en bas, dans les douches, dès que tout le monde était endormi – ce qu'elle se garde bien d'ajouter.

« Une fois, nous avons quitté la ville pour rendre visite à une Mexicaine que Marty connaissait. Serafina quelque chose. Elle s'était entraînée à Brisbane pendant un certain temps avec l'entraîneur de Marty. Sa carrière de nageuse était derrière elle à l'époque. Ses parents possédaient une immense maison toute blanche sur une pelouse très verte. À l'arrière, ils avaient installé une piscine. Pour Serafina, je suppose.

« Avant le déjeuner, Marty et moi nous sommes amusées dans l'eau. Il n'y avait pas de place pour faire la course, donc nous nous sommes juste éclaboussées, poussées sous l'eau, poursuivies au fond du bassin. Nous avons joué à chat, en quelque sorte. » Jesse s'interrompt, comme si elle évaluait les risques de cette conversation. « Et puis Marty est remontée du fond du bassin en me frôlant. Nos visages étaient distants d'environ un centimètre, nos corps ne se touchaient pas tout à fait. Vous voyez. »

Ni Alice ni elle ne disent quoi que ce soit pendant un long moment. Les grillons qui se déchaînent nuit et jour dans les fourrés bordant la carrière remplissent le silence de leur bruit blanc, à la fois assourdissant et inaperçu.

C'est Alice qui parle la première. « Je parie que vous avez eu du mal à avaler ce déjeuner. »

Jesse se sent rougir, la malédiction universelle des rousses. « Sur le chemin du retour en ville, dit-elle, désormais pressée d'en finir, dans un vieux taxi branlant qui soulevait des nuages géants de poussière, nous nous sommes moquées de la façon dont Serafina parlait à Marty : "Je pense constamment à vous depuis toutes ces années", c'est ce qu'elle avait dit. Nous avions compris que ce devait être une mauvaise traduction. Pourtant, nous avons commencé à dire "Je pense à toi constamment" au lieu de "Salut". Par la suite, c'est comme ça que j'ai commencé toutes les lettres que j'ai envoyées en Australie.

— Qui sont restées sans réponse, conclut Alice.

— Comment pouvez-vous le savoir ? » s'étonne Jesse en se retournant brusquement dans sa chambre à air, faisant couiner le caoutchouc.

Alice secoue la tête. « Je ne sais pas. J'ai senti la trahison venir, je crois. C'est facile maintenant, maintenant que c'est une histoire. Quand vous la traversiez, c'était la vie. L'intrigue est toujours beaucoup plus difficile à saisir.

— Et, bien sûr, dit Jesse pour sa propre défense, tout allait si vite. En plus, je voulais tout prendre comme un bon présage, un porte-bonheur. »

La scène apparaît toute blanche dans son esprit, et elle est de retour dans les douches, tard dans la nuit. Marty et elle allongées côte à côte sur un lit fait de piles de serviettes.

« Marty a commencé à se confier, raconte-t-elle à Alice, ce que j'ai essayé de prendre pour un signe. Mais il y avait quelque chose qui n'allait pas, même dans les aveux. Comme tout le reste chez elle, ils étaient un peu trop faciles. Elle détestait nager, m'a-t-elle dit. C'était juste son ticket de sortie hors de Pemby, cet endroit paumé au bord de la brousse.

« J'étais impressionnée par le fait que quelqu'un qui n'avait qu'un an de plus que moi ait déjà un plan. Moi, je n'avais quasiment jamais pensé à mon avenir. Je me suis mise à la natation parce que j'étais bonne dès le départ et parce que c'était quelque chose que mes parents ne comprenaient pas. Ça m'a un peu éloignée d'eux. J'étais une vraie star ici, à New Jerusalem, et je ne pensais pas qu'on puisse vouloir davantage. Marty visait plus haut. Elle allait être dans les films. Elle pensait qu'elle avait le look californien, elle s'est dit qu'elle aurait des rôles dans des films de surfeurs.

— Est-ce qu'elle n'a pas eu une émission de télévision ? interroge Alice. Je me souviens d'avoir lu des échos à ce sujet, dans un article du genre “Que sont-ils devenus ?”

— J'ai appris ça, moi aussi. Un show à propos d'un détective privé sous-marin. Mais ça ne passait qu'en Australie, je suppose. Je veux dire que je n'ai jamais vu le programme.

— Il ne peut pas s'agir d'un détective sous-marin, quand même ? » L'idée fait rire Alice. « Sérieusement, il y a beaucoup de crimes sous-marins ? Ou de criminels sous-marins ? »

Jesse sourit timidement. « Peut-être que je me trompe. Quoi qu'il en soit, les trucs d'actrice faisaient partie de ses grands projets, et un élément important – même si, bien sûr, nous n'en avons jamais parlé – était qu'elle devait remporter l'or. Ce qui signifiait qu'elle devait me battre. »

Jesse tait ce qui la tourmente. Que l'amitié était calculée, que la séduction n'était qu'une partie de l'équation.

Alice l'a compris, de toute façon. « Et vous pensez que quelqu'un qui est tombé amoureux de vous ne peut pas conserver un véritable instinct de tueur, vouloir vraiment vous battre.

— Oh, impossible de le savoir avec certitude, répond Jesse. Il se pourrait tout autant que Marty ait eu des sentiments pour moi, et indépendamment de cela, qu'elle ait parcouru cent mètres trois dixièmes de seconde plus vite que moi ce jour-là. Ça pourrait être juste ça.

— Mais si elle avait eu de tels sentiments, pourquoi aurait-elle disparu ? »

Jesse secoue la tête. « C'est tout bonnement stupide d'y penser encore. Les temps que nous avons faits ont été dépassés depuis longtemps par les filles plus rapides qu'on produit de nos jours. Ce qui est arrivé cet après-midi-là, plus personne ne s'en soucie. Sauf moi, et j'en ai assez. Parfois, je pense même que j'ai inventé la plus grande partie de Marty Finch, inventé cette grande trahison pour transformer une simple défaite en une chose compliquée. Bien sûr, je l'ai modifiée dans ma tête au cours de ces années. Je l'ai vieillie, rendue plus sophistiquée. C'est comme si je continuais à la traduire en tout ce dont j'ai besoin pour entretenir la colère. »

Et la passion, ne dit-elle pas.

« Pour que je puisse continuer à en tirer une charge électrique. À toucher le fil. Continuer à sentir le courant palpiter entre mes doigts », ajoute Jesse, presque entièrement franche, ou franchement entière. Retenant seulement peu de choses, les couleurs surtout. La lumière blanche de la nuit dans les douches et l'aigue-marine.

« Ici. » Neal tire doucement Jesse par les épaules, puis pointe le doigt vers le haut. « Juste là. »

Au début, elle ne voit pas de quoi il parle. Il frappe la lampe de poche qui s'est éteinte contre sa paume ouverte, et les piles se remettent en place, établissant une connexion qui fait la lumière sur le problème – une fissure près de la partie la plus élevée de la voûte de la Grotte d'Azur.

« Tu penses que ça signifie quelque chose ? demande-t-elle. Quelque chose d'important ?

— Je ne sais pas. Nous avons fini par y penser comme à une attraction, notre gagne-pain, notre propriété. Mais, en réalité, elle appartient à la nature. La nature aura toujours le dernier mot là-dessus.

— Qu'est-ce que tu vas faire ? »

Il enlève sa casquette de base-ball et passe une main sur son front et ses tempes, là où la sueur s'est accumulée. « Je vais appeler Tim Sutter au département de géologie de Columbia[1]. Voir s'il peut venir jeter un coup d'œil. En attendant, nous devrions probablement fermer la grotte.

1. Ville qui abrite le campus central de l'université d'État du Missouri.

— C'est pour elle que beaucoup de gens viennent. C'est vraiment l'attraction principale. Avec le xylophone.

— Nous pouvons faire un billet à tarif réduit. J'espère que ça suffira à décider les gens de venir, même si le spectacle n'est pas complet.

— Nous allons perdre un paquet, non ? Si seulement c'était arrivé en janvier… »

Il prend la main droite de Jesse, pose la gauche sur son épaule à lui. « Mon ange, que dirais-tu de la Danse des Petits Problèmes de Grotte ? » Il l'attire dans le fox-trot ringard qu'il utilise pour contourner les mauvais moments. Il ne supporte pas qu'elle se fasse du souci. « *Paradis* », lui chante-t-il à l'oreille, les notes si proches qu'elles bourdonnent dans son tympan. « *Je suis au paradis. Et mon cœur bat tellement que je peux à peine parleeeeeer.* » Il tourne sur lui-même et se remet en place, comme Ginger face à Fred. « *Et il me semble trouver le bonheur que je recherche. Quand nous sortons ensemble et dansons joue contre joue.* »

Ils piétinent un moment, non sans difficulté. En plus d'être enceinte, Jesse, avec son mètre quatre-vingts, dépasse Neal de plusieurs centimètres. Elle se penche un peu vers lui, étire les bras, et ils effectuent des pas carrés sur le sol usé de la grotte.

« Nous nous en sortons à merveille, lui assure-t-il.

— À merveille, n'est-ce pas ? dit-elle, comme si le répéter rendait la chose vraie.

— Bien sûr que oui. Tu vends des maisons comme des petits pains. Et si nous manquons un peu d'argent, ma famille peut intervenir. Le petit cirque des Balkans marche du tonnerre. Même les hivers ne tombent pas dans le rouge, grâce à l'école de clowns. La prospérité flotte tout autour de nous. Nous devrions garder nos soucis pour les périodes difficiles. Ceux-ci n'en font pas partie. Nous y penserons comme à des moments en or quand nous traverserons des moments vraiment difficiles. »

Pendant qu'elle danse, Jesse ferme les yeux et songe à leur avenir. Il y a elle et Neal, Willie et le bébé, et le caméscope que Neal n'a pas acheté mais achètera sûrement, afin de pouvoir sur-enregistrer la vie d'Olivia. Ils sont tous là, remplissant le cadre. Il n'y a pas de place pour autre chose. Pas même deux centimètres dans la marge pour un écrivain du ciel anxieux.

« Je vais peut-être rester ici un moment, dit-elle en s'asseyant sur le banc le long du mur. Me détendre. Tu sais. »

Il hoche la tête et la regarde d'une manière qui lui indique qu'il sait. Peut-être pas que ce soit Wayne. Peut-être même pas que ce soit quelqu'un. Mais elle perçoit qu'il ressent le déplacement de l'énergie qu'elle a habituellement à son égard. Peut-être l'a-t-il attribué à la grossesse, à un flux hormonal. Mais qu'en sera-t-il après la naissance du bébé ? Elle se sent soudainement malade, ce qu'elle n'a pas éprouvé depuis les premiers jours de sa grossesse. Elle est furieuse contre elle-même. Elle ne veut pas que la connaissance tacite de son infidélité – sa confession tacite accueillie par le pardon tacite de Neal – ronge le lien qui les unit.

Une fois Neal parti, quand Jesse se retrouve seule, elle s'assoit contre le mur et penche la tête en arrière pour pouvoir contempler le bleu du plafond voûté. Son présent pèse sur elle. Elle a besoin de s'évader. Alors elle ferme les yeux et fait virer le bleu à l'aigue-marine. Cela se passe ainsi. À l'intérieur de ses paupières, la couleur renaît. D'abord sur un mur plat, puis fragmenté, morcelé en carrés ondulants, à l'image d'un fond de piscine lorsque l'eau est fracassée par des nageurs, traversée de soleil. Aigue-marine, puis le claquement de sa main sur les carreaux du bassin dont elle sort pour la centième, la millième fois.

La couleur la catapulte en arrière. De là, elle peut effacer le cadre bleu-vert et laisser entrer le blanc total. La veille de la compétition, dans les douches. La partie qu'elle a écartée de l'histoire qu'elle racontait à Alice Avery. Elle et Marty allongées l'une à côté de l'autre sur ces vastes et douces piles de serviettes. Les carreaux blancs attirant le clair de lune à travers les fenêtres ouvertes, l'eau gouttant d'un robinet tout proche – de façon rapide, urgente. Et, plus loin, des chiens sauvages déchirant la nuit de leurs hurlements.

« Quoi ? » Jesse s'entend murmurer. Elle a dix-sept ans, et toutes ses réserves de curiosité intactes.

Marty se redresse sur un coude, si bronzée qu'elle paraît noire contre le carrelage.

« Je suis passée sous les cinquante-neuf. Cinquante-huit quarante.

— Tu mens.

— Non. Au contraire. Tu sais que je ne mens pas.

— Comment se fait-il que ça ne soit pas partout, dans les potins ?

— C'était hier soir, tard. Tout le monde était parti. Seul Ian était avec moi. Il l'a chronométré.

— Ian a peut-être une mauvaise montre.

— Possible. On ne peut jamais savoir », reconnaît Marty.

Jesse rit, à la fois parce qu'elle est nerveuse à l'idée d'être ici au milieu de la nuit et parce qu'elles sont là, aux Jeux olympiques, et que Marty essaie de lui servir une dose d'intimidation, un truc archi éculé de club de natation.

« La plus rapide », murmure-t-elle maintenant, en tapotant son propre cœur. Puis, tapotant celui de Jesse, elle ajoute : « La deuxième plus rapide. Tous les autres vont boire nos vagues. »

Jesse reste debout à écouter son pouls battre dans ses tempes, et les chiens, des années-lumière jusqu'à ce que Marty dise : « On dirait qu'ils réclament quelque chose, n'est-ce pas ? » Même si les mots sont prononcés à voix basse, Jesse – totalement ignorante des mécanismes de la séduction – a l'impression qu'ils résonnent contre les carreaux. Même s'il s'agit du toucher le plus léger qu'on puisse imaginer, Jesse sent les volutes que dessine le bout des doigts de Marty brûler la peau douce de sa gorge.

Et c'est tout. Elle ne peut pas pousser plus loin, bien qu'il y ait sûrement eu un *plus loin.* Elle a beau scruter l'intérieur de ses paupières, elle ne parvient pas à raviver les couleurs.

Neal est facile à réveiller, même au milieu de la nuit, même lorsqu'il dort sur le dos avec la bouche ouverte, pareil à un boxeur sur le tapis, inconscient. Elle le touche et ses yeux s'ouvrent.

« Le bébé ! s'exclame-t-il, surpris mais alerte, prêt à partir.

— Non, c'est juste moi. Je suis agacée. »

Il se retourne, s'appuie sur un coude et effleure la cicatrice qu'elle a à la mâchoire. Elle se demande comment il arrive à la trouver sans autre lumière que celle de la lune.

« C'est la climatisation, dit-il. Cela dérègle les ions dans l'atmosphère. Je l'ai lu quelque part. Si la chaleur continue, nous devrions vraiment descendre dormir dans la grotte.

— Non. C'est mon passé.

— Ton passé trouble ?

— Mon passé aquatique. J'ai emmené Alice Avery à la carrière aujourd'hui. Elle se souvenait de moi à l'époque. Quelque part, ça me dérange. Ça fait remonter de vieilles pensées.

— Mais tout cela est fini, terminé, mort, à un million de kilomètres derrière toi. »

Elle roule sur le flanc, cherchant du réconfort dans ce qui était leur ancienne position en cuillères, mais maintenant elle est trop grosse pour qu'il puisse passer son bras autour d'elle. Elle se remet sur le dos, irritée, et se redresse sur un tas d'oreillers. « Je crains d'avoir été à l'époque une meilleure version de moi-même. Et je ne pourrai jamais retrouver ça. »

Il s'assoit aussi et la regarde. « Chérie, je te connais depuis tout ce temps. Je suis pratiquement une sommité à ton sujet. Quand on fera une émission sur toi, c'est moi qu'on invitera. Et je dirai que tu étais super quand je t'ai rencontrée, une fille merveilleuse et tout, mais vraiment juste l'embryon de toi-même. Je savais que je prenais un gros risque. »

C'est le moment où elle lui donne habituellement un faux coup de poing dans le ventre, mais elle n'en a plus le cœur à présent.

Il continue quand même. « Tout ce que tu étais alors, c'est que tu étais belle et incroyablement rapide dans l'eau. Les parties vraiment bonnes de ta personnalité sont arrivées plus tard. Tu ne peux pas t'en rendre compte parce que tu es assise à l'intérieur de toi-même. Heureusement que tu disposes de ma vision d'aigle pour te remettre sur le bon chemin. »

Jesse attrape sa barbe et commence à pleurer doucement, en silence, des larmes coulant au coin de ses yeux. Elle ne lui a jamais parlé de l'aigue-marine, ni même beaucoup de Marty. Jesse est avec Neal depuis plus de vingt ans à serrer les cartes de son jeu contre sa poitrine. Et pourtant, elle a presque tout lâché à Alice Avery aujourd'hui. De la même manière, elle ne s'est jamais vraiment laissée aller avec Neal, qui lui a tout donné. Ou plutôt qui a tout gaspillé, sur deux étrangers ou presque.

Jesse et Wayne sont assis l'un en face de l'autre dans un box semi-circulaire en vinyle noir. Ils se retrouvent ici, au bar-salon d'un *Holiday Inn* situé près de l'autoroute, parce qu'il n'y a jamais personne d'autre qu'eux et des touristes ou des voyageurs de commerce. Il est deux heures de l'après-midi. Elle commande un Coca, Wayne un café – il en boit toute la journée, principalement dans des gobelets en polystyrène avec des trous percés dans le couvercle.

Il est paniqué. Elle vient de lui annoncer qu'elle ne pourra plus le voir avant la naissance du bébé. Elle voulait lui dire qu'elle ne pourrait plus jamais le revoir, mais elle a manqué de courage à la dernière seconde. Elle est sûre que, dans deux ou trois mois, il sera passé à autre chose, peut-être même dans une autre ville, et qu'alors elle sera en sécurité. Pour le moment, cependant, c'est tout sauf le cas. Elle essaie de sauver un homme qui perd pied alors qu'elle-même est en train de couler.

« Tu pourrais venir avec moi, propose-t-il.

— Je ne vais nulle part.

— Je pourrais dégoter quelque chose de merveilleux, poursuit-il. Nous pourrions aller en Floride. Je pourrais écrire sur ces longues plages pleines d'étudiants. Tu pourrais enseigner la natation dans une piscine d'hôtel. Tu pourrais apprendre la brasse indienne aux vieilles dames. Nous pourrions dîner de poisson frit et aller au *drive-in* pour un film le soir. » C'est un stratagème sorti tout droit de son désespoir, mais elle le croit capable de le mettre en pratique si elle lui en donne la chance.

« Le bébé, invoque-t-elle.

— On ferait comme les Algonquins. On la mettrait dans un sac à dos et on l'emporterait avec nous. Partout. »

Mais il n'y a pas de partout pour eux. En ce moment, Jesse sent une forte pression sous son sternum, le prix exigé par l'idée qui lui est venue de ne plus jamais le revoir. Elle ressent également un léger soulagement. Elle se tient debout, dans un maillot de bain en velours rouge et paillettes, à l'intérieur de l'explosion de fumée du magicien. Lorsque la fumée sera dissipée, elle sera partie.

*

Ils fêtent Thanksgiving chez Hallie cette année, plus ou moins par défaut. Jesse, qui reçoit habituellement, était à bout et en manque de sommeil, le bébé s'étant révélé une créature joyeuse et facile à vivre, mais nocturne. Il était hors de question de laisser Frances préparer le repas ; c'est une cuisinière lamentable. Et tout le monde s'accordait sur le fait qu'Alice passait suffisamment de temps derrière les fourneaux les autres jours de l'année et devait pouvoir se faire servir pendant les vacances. Son amie Jordan et elle ont été invitées, à condition de ne pas se plaindre des grumeaux dans la sauce.

L'après-midi a été particulièrement amusant. L'équilibre est réussi. Frances est venue seule. Darrell est parti chez l'une de ses filles, dans un coin extrêmement reculé de l'Arkansas, où le plat de fête traditionnel – Frances les en informe comme si Darrell venait d'un autre pays – est le lièvre sauvage frit. « Un lièvre écrasé par une voiture », chuchote Jesse à l'attention de Neal.

Frances est totalement emballée par Alice, la trouve sophistiquée pour quelqu'un de Kansas City, et restauratrice de surcroît. Cette fascination détourne son attention de Jesse et Hallie, qu'elle n'aime pas voir ensemble. Aujourd'hui, cependant, les deux femmes peuvent simplement traîner dans la cuisine embuée, Hallie préparant les plats tandis que Jesse accomplit les tâches faciles – couper en tranches la gelée de canneberges en conserve, incorporer la chantilly toute faite dans la salade Waldorf – tout en berçant du pied Olivia, qui glousse dans son transat bébé. Neal regarde le match de football à la télévision dans le salon avec Willie, qui aime ce sport pour ses propres raisons, car il ne sait jamais où est le ballon.

Au bout d'un moment, Willie revient. Il veut prendre le bébé, fait des signes insistants avec ses mains tendues. Il est assez possessif avec elle. Non qu'il pense qu'elle est à lui, qu'il est son père. Il semble plutôt croire que Jesse a mis Olivia au monde pour lui.

« D'accord, d'accord », dit Jesse, et elle sort sa fille du confort du transat pour la tendre à Willie. Il l'adore, se montre responsable et excessivement prudent avec elle.

Lorsque la dinde est sortie du four et a un peu refroidi, Neal revient dans la cuisine pour brandir son couteau à découper électrique. « Un travail d'homme », déclare-t-il d'un air faussement macho, en agitant l'engin bourdonnant au-dessus de sa tête.

Ils prennent tous place sur des sièges ordinaires et des chaises pliantes apportées du sous-sol, calés les uns à côté des autres dans la petite salle à manger d'Hallie. Frances, qui est la seule pratiquante du groupe, récite le bénédicité, remerciant Dieu pour la présence d'Olivia (avec qui elle est encore hésitante, se rapprochant à petits pas du comportement d'une grand-mère) et des « nouveaux amis ».

Après le repas, une fois que le café et les tartes – au potiron, aux fruits secs et sablée – ont circulé, tous gémissent et quittent la table d'un pas alourdi, soit pour aller dans la cuisine, jonchée de plats, de restes, de vastes feuilles de papier d'aluminium et de récipients en plastique, soit pour trouver un coin moelleux au salon où s'effondrer et digérer.

Jesse emmène Olivia à l'étage pour la nourrir, ce qu'elles apprécient toutes les deux. Jesse est folle de ce bébé. Elle n'aurait pu le prédire. Elle ignorait qu'elle avait en elle cette gamme particulière de sentiments. La plupart du temps, c'est comme si elle était ivre d'amour. Et c'est un amour vrai, pour un objet réel et qui dure. Pas un truc agaçant qui vous fait dresser les cheveux sur la nuque et vous met le reste à vif.

Tout cela est derrière elle, scellé hors de portée. Elle l'a mis de l'autre côté du mur liquide qu'elle considère comme la frontière de sa vie actuelle. Au-delà, à l'abri des regards, se trouvent les choix rejetés, comme Wayne.

Et aussi ceux qu'elle n'a pas faits. Même si elle ne peut pas les voir clairement, elle sent palpiter là-bas tous les êtres qu'elle n'aura pas rencontrés, toutes les façons de défier les Parques. Elle sait pourtant qu'ils existent, par la forme de leur absence, par les ombres qu'elle distingue à peine de l'autre côté de la membrane.

Quand elle a couché le bébé pour une sieste, Jesse rejoint les autres au salon. La télé diffuse l'un des feuilletons, mais pas le bon. Comme tout le monde parle et que personne ne la regarde, Jesse prend la télécommande et sélectionne *Médecins & Infirmières*. Rhonda est à la barre des témoins, mentant sur l'endroit où elle se trouvait la nuit de la mort de Stephen Poole. (L'étau se resserre sur elle.) Mais Jesse n'écoute pas vraiment. Elle est gênée par le bandage à la main que porte Rhonda depuis juillet. Il s'agissait prétendument d'un accident qui s'était produit dans sa cuisine, une blessure qu'elle s'était faite parce qu'elle avait été bouleversée par le meurtre. Jesse n'en a pas cru un mot. Quiconque a la présence d'esprit de tirer sur un bonhomme, puis de le fourrer dans un sac à vêtements et de le traîner hors de son appartement et dans l'ascenseur de service pour le jeter dans la rivière avec des haltères attachés aux poignets et aux chevilles, ne va pas mettre par mégarde sa main dans le robot culinaire avec un bouquet de carottes.

Ils s'efforcent de ne pas la montrer – la main –, mais c'est difficile en gros plan, comme maintenant, lorsque Rhonda fond en larmes dans la salle d'audience (du grand spectacle pour le jury), sanglotant violemment dans ses paumes, dont l'une est enveloppée dans une bande de gaze. Jesse soupçonne que le problème de la main n'est pas celui de Rhonda, mais plutôt de l'actrice qui l'interprète. Elle aimerait bien savoir ce qui s'est passé. Cela la dérange de prétendre savoir tout ce qu'il y a à savoir, de spéculer à partir de toutes les informations qui sont offertes, et de manquer encore d'une connaissance, celle qui éclairerait l'ensemble.

C'est le premier jour dégagé après des semaines de grisaille, et l'après-midi en est à ses derniers feux spectaculaires alors qu'ils rentrent chez eux. Jesse conduit, Neal à côté d'elle à l'avant. Willie fait une sieste à l'arrière. Le bébé, dans son siège auto, se tapote le haut de la tête et émet des petits bruits, une chanson à lui.

« Cent trente », remarque Neal[1]. Il garde un œil désinvolte sur le compteur de vitesse lorsque Jesse conduit. Elle lève le pied de l'accélérateur et, simultanément, les yeux de la route devant eux. Là, sur un pan de ciel sans nuages s'étalent des lettres enfumées griffonnées par un avion qui sort tout juste de la boucle du « e » final de Jesse. Son cœur fait un bond de cerf et elle sent ses ongles s'enfoncer dans ses paumes autour du volant.

Faire semblant de ne pas voir ce qui est écrit dans le ciel est difficile, mais Neal y parvient.

1. La limite de vitesse est fixée à 90 kilomètres/heure.

Vieilles âmes

Juillet 1990, New York

Dans le bureau individuel qu'elle occupe parmi les rayons littérature de la bibliothèque, Jesse se tient debout devant le meuble à dossiers suspendus ; elle y range ses notes sur Flannery O'Connor pour un livre qu'elle rédige au sujet de l'influence de la maladie sur certains écrivains américains du XXe siècle. Cette phase de recherche l'enchante autant qu'elle la déprime profondément. Il y a des moments où elle préférerait écrire à propos de l'influence des spectacles de marionnettes sur certains écrivains américains, l'influence des clowns déboulant de petites voitures. Le lancer de tartes à la crème.

Ces rayons font partie des rares endroits vraiment calmes de Manhattan. Ils donnent sur une cour tapissée de lierre, souvenir d'un autre New York. Les seuls sons viennent de l'intérieur – le bruissement occasionnel de papiers que l'on ramasse, le chuintement des couvertures de livres que l'on referme, le bourdonnement constant des néons. Mais voilà que pénètre une soudaine bouffée d'air, le cliquetis aigu d'un bracelet contre les étagères, suivi par Kit débarquant à bout de souffle. Elle s'arrête net devant Jesse, ses coudes se soulevant un peu lorsqu'elle passe de la cinquième vitesse au point mort. Elle déboule souvent de cette façon, comme si elle avait disparu depuis des années, naufragée et abandonnée, et pourtant – ô miracle ! – enfin bel et bien ici !

En réalité, cela fait moins de trois heures qu'elles ne se sont pas vues. Jesse baisse les yeux. Elle n'aime pas que Kit voie à quel point elle est affectée par sa présence ; elle-même trouve cela un peu absurde.

N'importe qui pourrait surgir à l'improviste, même si en plein été, un vendredi tard dans l'après-midi, il est peu probable que cela se produise. Pourtant, Jesse le sent, le risque commence à crépiter dans l'air stagnant de la pièce, tandis que Kit la presse de tout son corps contre les poignées saillantes des tiroirs de classement, tire sur sa chemise pour la dégager et glisse ses mains dessous, puis tout autour de son buste, soulignant ses seins.

« Je pense, dit Jesse une fois que sa bouche se libère, que si je me fais virer d'un poste de titulaire, j'aimerais surtout que ce soit en vertu de la clause de moralité publique. »

Kit plaque ses mains sur son dos et l'attire à elle.

« Peut-être que nous ferions mieux de rentrer à la maison, dit Jesse.

— Commencer nos vacances. »

Kit hoche la tête, distraite.

Elles traversent le Village en diagonale. Kit est arrêtée par un tourbillon de très jeunes femmes. *Bon sang !* pense Jesse, *les adolescentes de nos jours ressemblent décidément à des prostituées.* Puis elle remarque que l'une d'entre elles négocie avec un gars dans une camionnette de livraison et s'aperçoit que ces filles *sont* des prostituées. Elles sont également fans de Kit et lui demandent un autographe.

Kit est plus ou moins actrice. Elle interprète Rhonda, l'infirmière vamp des soins intensifs dans un très mauvais soap dont l'action se déroule à l'hôpital. Cinq jours par semaine, elle doit se promener habillée en Rhonda avec une paire de cils supplémentaires et des tenues aussi provocantes qu'un uniforme blanc peut l'être. Le costumier a également prévu une coiffe d'infirmière sexy pour elle.

À l'époque où elle est apparue pour la première fois dans la série, Rhonda a été presque aussitôt impliquée dans une sulfureuse sous-intrigue d'euthanasie. On l'accusait d'avoir débranché un patient en soins intensifs, un vieil homme qui, quelques jours seulement avant sa mort, avait modifié son testament pour l'y inclure généreusement. Toutefois, depuis que cette histoire avait été résolue (il s'agissait en vérité d'une confusion dans les prescriptions de médicaments), tout ce que les scénaristes ont laissé faire à Rhonda pendant des mois était de se cacher de manière suspecte dans la pharmacie de l'hôpital, ou de se prélasser dans son appartement tapissé de miroirs, en robe d'intérieur moulante et boucles d'oreilles rebondissant sur ses épaules, occupée à divertir des médecins mariés. Kit avait craint qu'on efface entièrement son personnage, mais à présent elle tenait sa chance : Rhonda venait de tirer sur le dernier en date des médecins mariés après que celui-ci eut ri de l'ultimatum qu'elle lui posait de quitter sa femme.

Cette semaine, elle avait été occupée à nettoyer les taches de sang sur son tapis, à traîner le corps en pleine nuit jusqu'à la rivière, et à attacher des haltères à ses poignets et ses chevilles, avant de le hisser par-dessus la balustrade du pont. Sans cadavre, la culpabilité de Rhonda allait être difficile à prouver, et Kit estime qu'elle a au bas mot plusieurs mois de travail devant elle pendant que Rhonda joue l'innocente faussement réservée face à de forts soupçons. Les épisodes étant enregistrés deux semaines à l'avance, son rôle a été mis en veilleuse de façon qu'elle puisse s'éclipser dès le lendemain pour aller passer quelques jours dans le Missouri avec Jesse dans la famille de celle-ci.

Pendant que les adolescentes sortent des bouts de papier de sacs à main surdimensionnés, Jesse se faufile dans un petit magasin de disques et achète une cassette pour le voyage. Quand elle en ressort, les filles sont parties mais ont été remplacées par une femme d'âge moyen et sa mère, qui tentent de soutirer à Kit des révélations sur l'intrigue de la série, et de savoir notamment si le docteur Silva et Louise, l'administratrice de l'hôpital, sont réellement à la tête d'un culte satanique. Sans un mot et de façon très impolie – c'est le seul moyen –, Jesse libère Kit, et toutes deux repartent sur Christopher Street.

« La prochaine fois que quelqu'un me demande un autographe, déclare Kit, je dirai : "Eh bien, où est votre chien à autographes, alors ? Je ne signe que des chiens en peluche et des plâtres de jambe." » Kit ne prend pas, ou plus exactement ne peut pas prendre sa célébrité au sérieux ; celle-ci repose uniquement sur un petit rôle dans un soap opera diffusé dans la journée et sur quelques publicités pour un shampoing antipelliculaire. S'il lui arrive de se montrer prétentieuse – et cela nécessite un peu de vin et quelques encouragements –, c'est au niveau de ses ambitions, qui planent dans la catégorie Meryl Streep.

« Ce soir, c'est moi qui cuisine, quelque chose de spécial », annonce-t-elle à présent.

Jesse se passe un ongle sur le poignet, faisant mine de s'ouvrir une artère vitale.

« Sois gentille », implore Kit.

Elles s'entre-tuent avec affection dans la cuisine. Toutes deux prennent leur art très au sérieux. Jesse est attachée au livre de cuisine à carreaux rouges des années 1950 ayant appartenu à sa marraine. Tout ce qu'elle prépare doit cuire pendant une heure à 160 degrés avant d'être recouvert de sauce blanche et parfois de chips écrasées, ou alors moulé dans des plateaux de congélation et garni de cerises confites.

Kit appartient à une chapelle adverse. « La civilisation a dépassé le stade du livre à carreaux », affirme-t-elle. Elle fait dans l'élaboré et l'exotisme. Cuisines du quart-monde, des replis les plus isolés de l'Himalaya. Elle fait ses courses dans les épiceries ethniques les plus sombres, fouille au milieu des boîtes de conserve poussiéreuses sur les étagères du fond, ou parmi les articles impénétrables recouverts de plastique qui se cachent dans les recoins embrumés du congélateur. Elle s'engage dans des conversations laborieuses avec le propriétaire du magasin, puis avec sa mère âgée sortie de derrière un rideau qui sépare la boutique de l'arrière-salle. À ce stade, Kit prend des notes sur un bordereau de dépôt de chèques, achète des condiments supplémentaires résolument authentiques.

Toute cette agitation débouche sur le résultat suivant : quand Jesse arrive à la maison, le couloir de leur immeuble est empli d'une odeur détestable. Elle se demande aussitôt si Mme Levine, de l'appartement en rez-de-jardin – la personne la plus âgée que Jesse ait jamais vue, sauf dans des publicités pour du yaourt –, a rendu l'âme, et si tout le monde est trop occupé ou égocentrique pour le remarquer.

Mais l'odeur ne fait que s'intensifier à mesure que Jesse monte vers son propre appartement. À l'intérieur, elle devient quasiment palpable. Plusieurs casseroles gargouillent de manière inquiétante sur la cuisinière.

« Qu'est-ce que c'est ? dira Jesse en sautant l'étape des plaisanteries.

— Eh bien… tu aimes le steak, non ? répliquera Kit d'une voix désespérément joyeuse.

— J'aime les steaks quand ils viennent de vaches. Des vaches qui, de leur vivant, résidaient en Amérique.

— Eh bien, ce n'est que la version birmane.

— Kit. S'il y a du lézard dans l'une de ces casseroles… »

À ce stade, la déception assombrira le visage de son amie.

« Oh non, dira Jesse en se précipitant pour la prendre dans ses bras. Il y a vraiment du lézard dans une de ces casseroles.

— Oui. Mais seulement *un.* »

« Ne cuisine pas, rétorque Jesse une fois qu'elles arrivent devant la porte. Il fait beaucoup trop chaud. Allons dîner dehors. »

Pas tout de suite, cependant. Elles tombent sur le futon, retirent certains de leurs vêtements, oublient les autres.

Un peu plus tard, Jesse demande à Kit : « Ça vient ? »

Kit acquiesce.

« Tu ne peux pas ? »

Kit rit. « Si. Peut-être. Presque. »

Jesse se lève et tire Kit du futon. « Allons-y. Nous reprendrons plus tard. Tu auras de quoi méditer pendant le dîner. » Jesse maintient Kit dans une légère servitude sexuelle. Qui sait combien de temps leur histoire va durer ? Et, de toute façon, pense-t-elle, tout le vrai pouvoir est du côté de Kit.

À leur retour, elles traînent le futon sur le toit, près des bassines de terreau dans lesquelles Jesse cultive un jardin urbain d'hybrides de thé. Les pétales, rouge foncé à la lumière du soleil, paraissent à présent noirs et dégagent un lourd parfum nocturne. Là, Jesse et Kit recommencent, puis s'endorment sous les étoiles, au-dessus de la musique qui s'élève des fenêtres ouvertes. Et puis se réveillent et regardent la lune traverser le ciel d'un noir profond.

Le lendemain matin, Jesse descend avec la clé de la boîte aux lettres. Il n'est que huit heures et demie, mais Carmen se tient sur le pas de sa porte comme une petite déesse du demi-monde, dans un halo de lumières tamisées et de fine brume de fumée bleue. Lou Reed passe sur la stéréo. Samuel, le copain de Carmen, est allongé sur le canapé. Il possède plusieurs laveries, qui semblent tourner toutes seules. Jesse pense que Carmen et Samuel pourraient bien être des fêtards par excellence, ils pourraient tenir leur propre chronique hebdomadaire pour *The Voice* rien qu'en racontant ce qui se passe dans leur appartement.

Une fois, Jesse était descendue leur emprunter un tournevis, Carmen et Samuel entamaient la journée avec l'un de leurs joints de la taille d'un cigare, et ils lui en avaient offert une bouffée. Pourquoi pas, s'était-elle dit, puis elle avait perdu toute notion de la partie de sa vie qui s'était écoulée entre l'instant où elle avait expiré la fumée et celui où elle s'était retrouvée à la caisse de l'épicerie coréenne du coin pour acheter trois tartes frites au chocolat.

« Tu reviens quand ? demande Carmen.

— Dans une semaine. Nous allons voir ma mère. Dans le Missouri.

— Ah, dit Carmen en fermant les yeux et en souriant rêveusement. *The Show-Me State*. »

Cela étonne Jesse, toutes les choses que les gens connaissent.

Plus tard, elle accroche au rétroviseur de la voiture de location un détecteur de radar qu'elle a emprunté tandis que deux gosses, à qui on n'a rien demandé, passent une raclette de caoutchouc sur le pare-brise déjà propre.

« Non merci, dit Jesse à la main qui s'est glissée par la vitre ouverte et qui s'agite devant son visage.

— *Man*, tu aurais dû le dire avant qu'on fasse un si bon travail pour toi.

— Je te laisserai quelque chose dans mon testament. Ce sera comme Howard Hughes et son pompiste. »

Originaire d'une petite ville, Jesse est habituée à un style de repartie qui, dans ce coin de Manhattan, vaut chaque jour à des gens de se faire poignarder. Cette fois, cependant, le destin conspire en sa faveur : Kit descend les marches de leur immeuble et monte dans le véhicule juste au moment où une auto ressemblant à une voiture de flics tourne au coin de la rue (il s'avère que c'est un truc bidon comme la patrouille environnementale), et les types à la raclette battent en retraite sur le trottoir.

Jesse glisse la cassette dans le lecteur alors que Kit démarre. C'est *Nebraska* de Springsteen. « Open All Night » commence.

> « … *Fried chicken*
> *On the front seat, she's sitting in my lap*
> *We're wiping our fingers on a Texaco road map*[1] »

Kit sourit du plus profond de sa philosophie du « *trip* ». Depuis quelques semaines, elle exprime son désir de

1. « Poulet frit / Sur le siège avant, elle assise sur mes genoux / Nous essuyons nos doigts sur une carte routière Texaco. »

« prendre la route » et fait des déclarations telles que : « Vivre à New York, c'est comme vivre dans une boîte à chaussures extrêmement intéressante. » Et là, elle est prête à partir, en tenue de voyage. Un bermuda à motifs hawaïens et un T-shirt qui proclame *I EAT MY ROADKILL*[1]. Elle a mis du gel dans ses cheveux blonds coiffés en arrière en une sorte de coupe de surfeur rétro. On dirait Jan, ou Dean[2].

« Ok ! » dit-elle. Et elle pousse ses lunettes de soleil sur l'arête de son nez tout en passant la troisième en douceur lorsqu'elles s'engagent sur l'Interstate 95, et en actionnant du petit doigt le clignotant avant de traverser trois voies en diagonale.

« Tu appréhendes de m'amener chez toi ? » demande-t-elle à Jesse dans le sud de l'Ohio.

Elles sont assises face à face dans le restaurant d'une station de lavage de camions au bord de l'autoroute. La partie restaurant se vante d'être le berceau du « Dorisburger ». Jesse étend son bras plié au-dessus de sa tête pour éliminer un nœud dans son omoplate droite – un ancien point faible, un rappel archaïque de la punition que son corps a absorbée à l'époque où elle s'entraînait. En réponse à la question de Kit, elle fait non de la tête – un mensonge. Elle ne sait pas du tout comment elle va réussir à combiner Kit et le Missouri. Et puis, il y a tellement de choses qu'il lui semble maintenant nécessaire d'expliquer.

« Ne te tracasse pas pour ça, assure Kit, voyant qu'elle s'inquiète. Tout le monde a toujours l'impression que le

1. Je mange ce que j'écrase.

2. Jan et Dean est un duo de chanteurs californiens des années 1950 et 1960.

spectacle qu'offre sa famille est trop saugrenu pour être expliqué à son entourage. Tu n'as pas besoin de me dire quoi que ce soit. Je ne verrai probablement même pas les défauts. Tout le monde sera gentil avec moi juste parce que je suis avec toi. Et à mes yeux tu es la personne la plus merveilleuse du monde, donc tu n'as pas à te soucier de mon opinion sur toi. Elle est inébranlable. » Elle touche son cœur de l'index.

« Oui, mais…

— D'accord, dit Kit. Vas-y et bats-toi avec ces vieux alligators de ton passé. Mais ne te bile pas pour moi. Ce sont *tes* alligators, ils ne me mordront pas. »

Chaque fois que Jesse revient dans le Missouri, elle tente de se préparer, d'aligner les problèmes, de les régler, de les traiter en interne afin de ne pas être prise en embuscade par eux une fois sur place. Ce qui, bien sûr, ne marche jamais. Dès qu'elle est dans sa famille, les mêmes systèmes défectueux se remettent en place – tout est détraqué et tourne à plein régime en même temps. Elle se retrouve presque instantanément en train d'essayer d'impressionner sa mère et de la rejeter. Se sentant bien au-dessus et au-delà de New Jerusalem tout en la romantisant comme une folle, elle voudrait tantôt se volatiliser de cet endroit et tantôt y demeurer pour toujours, passer ses journées avec Hallie, emménager avec elle et William dans une maison avec une grande véranda sur Broad Avenue.

« Qu'est-ce que le *chicken-fried steak*[1] ? demande Kit, cachée derrière un menu plastifié géant. Il y a du poulet dedans, ou quoi ?

1. Littéralement, « du steak frit comme un poulet ». Ce plat typique du Sud ne comporte donc pas de poulet.

— Oh, Kit… », soupire Jesse en pensant à la semaine à venir.

Kit et Jesse sont ensemble depuis six mois. Un soir, Jesse était censée dîner avec Leo Swift, qui assure tous les cours sur la période victorienne du département d'anglais et qui est de loin son collègue préféré. Leo est comme elle imagine les garçons de Bloomsbury. John Maynard Keynes. Saxon Sydney-Turner. Il lui apparaît comme un authentique érudit. Toujours éclairé de l'intérieur par la découverte d'une connexion, une influence discernée, toujours pressé par l'échéance d'une étude, travaillant tard dans la nuit comme si le monde allait se réveiller le lendemain matin avec un besoin urgent de café et de critique littéraire.

Ils partagent un bureau, au sous-sol du département, et souvent, quand Jesse arrive le matin avant un cours, la présence de Leo flotte encore dans l'air : eau de Cologne poivrée, laine nettoyée à sec, bonbons au caramel. Elle sait qu'il n'est pas parti depuis plus d'une heure ou deux.

Un matin du deuxième mois où Jesse dépérissait en raison d'un terrible chagrin d'amour (elle espérait que personne ne s'en était aperçu), il lui avait proposé d'aller dîner avec lui le vendredi suivant.

« Il y a un nouveau restaurant sur la 13e Rue qui sert des plats du Sud-Ouest. Tu penses que ça vaut le coup d'essayer ? »

Et puis, le jour même, il lui demanda en passant si cela la dérangerait que sa nièce les rejoigne. Quelque chose, rien de précis, fit penser à Jesse que la nièce en question était une jeune fille, une adolescente. Aussi ne s'attendait-elle pas à une femme, ni à une lesbienne, et encore moins à quelqu'un d'aussi blond et bronzé et, esthétiquement parlant, de tellement supérieur aux gens ordinaires, d'une façon si apprêtée qu'il était évident que la beauté faisait partie de son métier.

Jesse ne voulait pas se laisser influencer par ça. Elle n'aimait pas l'idée que l'apparence puisse jouer un grand rôle dans ce qui l'attirait vers d'autres femmes, même si, à bien y réfléchir, la propriétaire de la librairie, l'hôtesse de l'air, la chauffeuse de taxi-performeuse, l'analyste en investissements et la peintre en bâtiment, ainsi que l'une des deux radiologues (elle avait rencontré l'une par l'intermédiaire de l'autre) de la liste – liste légèrement plus longue que Jesse ne l'aurait souhaité et qui constituait son passé, son dossier sexuel permanent –, la liste de femmes, donc, avec lesquelles elle était sortie étaient toutes, en fait, assez belles. Cela dit, aucune ne l'était autant que cette femme-ci.

« Lâche-moi[1] ! » avait dit Kit en s'asseyant, le regard rivé sur une caméra invisible. C'étaient le nom du produit et son slogan dans les publicités pour lesquelles elle avait tourné. « Je suis censée le dire d'une manière sexy. C'est pas gagné. » Elle venait de décrocher cinq contrats commerciaux comme ambassadrice d'une marque de shampoing antipelliculaire. La soirée s'était muée en une petite célébration de ce coup de chance, même si Jesse avait été un peu fâchée que Leo ne l'ait pas avertie qu'il jouait les entremetteurs, ni du fait que Kit était actrice – quasiment un gage d'égocentrisme.

À un moment donné, probablement trop tôt, Jesse s'était sentie jeter toute prudence par la fenêtre, griller tous

1. L'anglais « *Flake off* » joue sur le double sens de « *flake* », écaille, ici pellicule capillaire, et d'une expression signifiant « casse-toi ».

ses feux rouges intérieurs. Elle avait commencé à se concentrer profondément sur Kit, qui souriait, s'était assise, prêtait attention aux présentations de Leo, disait « Lâche-moi ! », bref, qui exécutait des rituels sociaux parfaitement ordinaires d'une manière tout sauf tapageuse. Mais, en même temps, elle occupait l'espace avec des particules qui se déplaçaient plus vite que la normale, atteignaient une densité plus élevée. Les particules des autres devaient s'écarter un peu et se réagencer pour les laisser passer. Cela avait d'abord rendu Jesse maladroite, puis, dans le sillage de la deuxième margarita, Kit s'était mise à agir de la même manière, accordant une attention soutenue à tout ce que Jesse disait, répondant à ses remarques comme si elles étaient particulièrement drôles ou perspicaces, peu importe.

Oh mon Dieu, pensa Jesse, en fixant longuement une flaque de *salsa* mexicaine dans son assiette. Et elle ressentit une vague parcourir tout son corps quand leurs doigts se frôlèrent, pas entièrement par accident, dans le panier de chips de maïs bleu.

Plus tard, alors que Leo avait insisté pour payer la note et que Jesse le remerciait et lui souhaitait bonne nuit, Kit devait justement aller dans la même direction qu'elle, alors pourquoi ne pas prendre un taxi ensemble ? Et puis pourquoi Jesse ne monterait-elle pas ? Kit avait du café Kona qu'elle venait d'acheter pour se faire plaisir.

Pendant le temps qu'il avait fallu au monte-charge grinçant pour gravir les cinq étages jusqu'au loft de Kit, Jesse, flottant sur un léger nuage de margaritas, s'était dit : *Bon sang, s'il s'agit de ça, pourquoi ne pas y consentir ?* Elle avait appuyé une main contre la paroi de métal balafré à côté de la tête de Kit, s'était penchée et l'avait embrassée.

« C'est tellement…, commença Kit.
— Oh, allez. Pas tant que ça. »

Deux semaines plus tard, Kit laissait une brosse à dents en signe d'engagement dans le verre sur le lavabo de Jesse. Un mois plus tard, Jesse sous-louait son petit deux-pièces et Kit vendait le loft, afin de démarrer leur histoire dans un endroit qui ne serait ni à l'une ni à l'autre, mais aux deux. Grâce à l'épluchage avisé des annonces et au suivi de Jesse, ainsi qu'au salaire ridiculement merveilleux de Kit, elles trouvèrent un appartement, petit mais joli, dans un pâté de maisons relativement calme près de West Broadway. Bien sûr, c'était pure imprudence à Manhattan. Leur relation pouvait cesser et Jesse se retrouverait alors à la rue, à la recherche d'un appartement moitié moins beau que celui qu'elle venait d'abandonner, qu'il lui avait fallu deux ans à dénicher. Au début, sa propre audace l'avait enchantée. À présent, elle craignait d'avoir cédé à une impulsion absurde qui faisait pencher la balance de leur relation en faveur de Kit. C'était trop, tout comme elle aimait *trop* Kit. « Trop » étant davantage, supposait-elle, que Kit ne l'aimait.

Par le passé (à l'exception de la peine de cœur dont elle se remettait lorsqu'elle avait rencontré Kit), Jesse s'était toujours tenue sur ses gardes durant ses relations et, quand celles-ci prenaient fin, elle avait atteint la porte avant même que l'autre ne se lève de sa chaise. Avec Kit, cependant, les pas de Jesse s'étaient radoucis et feutrés, comme si elle marchait dans de la terre grasse. Il n'y aurait pas de fuite. Elle resterait jusqu'à ce que Kit y mette un terme, et probablement même après ; elle passerait une période à l'appeler sans laisser de messages sur son répondeur, à se rendre dans des restaurants et des fêtes où Kit serait susceptible d'aller, tout en essayant de ne pas avoir l'air de la chercher.

Aimer Kit avait mis tous ses nerfs à nu. Ce n'est qu'après l'avoir rencontrée que Jesse avait pris son premier Valium ou regardé *Peindre avec Pamela*, diffusé sur une chaîne câblée à 3 h 30 du matin. Maintenant, quand elle attend que Kit rentre à l'appartement, elle s'assoit sur le rebord de la fenêtre et regarde en bas, comptant les gens qui arrivent au coin de la rue, de un à cent et puis de cent à un. Elle a le sentiment d'avoir avalé et de devoir digérer un gros objet en caoutchouc. C'est un peu comme les Jeux olympiques. C'est la première fois, depuis ce cent mètres à Mexico, qu'elle ne peut sentir aucune cloison entre elle et la séquence d'événements qu'elle traverse et qui composent « sa vie ». C'est probablement une bonne chose, une étape dans sa croissance personnelle. Elle déteste ça.

Alors que Kit s'est installée avec facilité dans la relation, Jesse n'arrive pas à sortir de la phase passionnelle. C'est épuisant. Elle se considère pourtant comme quelqu'un qui a les pieds sur terre. Elle écoute vraiment son hygiéniste dentaire lorsque celle-ci lui conseille d'utiliser du fil tous les soirs. Elle note sévèrement les dissertations de ses étudiants et s'efforce d'être rigoureusement critique envers sa propre écriture. Elle appréhende les choses en termes de dilemme moral et poursuit avec insistance ce type de conversation, même quand les gens refusent de l'entendre, quand ils veulent juste danser.

En théorie, elle dirait que l'amour doit être un prolongement du respect, et pourtant elle ne pense pas qu'une notion aussi rationnelle puisse expliquer ce qu'elle ressent pour Kit. Elle redoute que cette femme puisse lui avouer déverser secrètement des déchets toxiques dans les rivières la nuit sans qu'elle cesse pour autant de l'aimer ; elle craint que la personne qu'elle aime vraiment ne soit pas Kit, pas ce qu'elle représente, et encore moins ce à quoi elle ressemble, cet aspect d'elle qui avait initialement attiré et effrayé Jesse, et qui lui paraît maintenant si naturel qu'elle serait incapable de dire si Kit est belle ou quelconque, tout ce qu'elle sait c'est qu'elle a l'air de Kit. Non, ce qu'elle aime plutôt, c'est la façon dont elle-même se sent auprès de Kit, grâce à Kit. Plus légère, gonflée de joie. Et elle craint d'avoir passé l'âge de ressentir cela. C'est ridicule. Comme si, à trente-neuf ans, elle se rendait à un bal de promo intersidéral.

Quinze heures d'autoroute, et Jesse, au volant désormais, bifurque sur la 54 en direction du sud-ouest, balayant les hautes herbes de ses phares. Le temps de traverser quelques carrefours – Kingdom City –, la nuit disparaît sous les lampes à arc des stations-service et des supérettes, attirant dans leur lumière une population boostée au Coca et au café, roulant très au-dessus de la limite de vitesse.

« Regarde », dit Kit en pointant le doigt dans une direction alors qu'elle émerge du sommeil. Elles arrivent à un parc de caravanes avec une enseigne au néon éclairée. DOMAINE DES PRÉS VERTS – DES CHRÉTIENS DANS DES MOBIL-HOMES.

« Mmmm, fait simplement Jesse.

— Je suppose qu'il est assez difficile d'acheter des fusées de feux d'artifice par ici, ironise à nouveau Kit en passant devant la vingtième tente-magasin pour touristes. Ou des bols en noyer.

— Mmmmm.

— Ah. On doit se rapprocher. De là où est le cœur[1].

— Là où je ne pourrai plus jamais aller », dit Jesse. Mais Kit se trompe sur ce qui préoccupe Jesse. Elle ne songe pas à la maison de sa mère, où la lampe de la cuisine aura été laissée allumée pour leur arrivée au milieu de la nuit. Elle regarde plus loin : jusqu'au moment où elles reviendront à New York et où Kit la quittera.

Elle en est à peu près sûre. Depuis un mois environ, peut-être un peu plus, Kit voit quelqu'un d'autre en douce. Jesse n'a aucune preuve, elle le sent seulement, comme on sent un léger courant d'air venant d'une fenêtre laissée ouverte. Elle sait, par exemple, qu'elle ne sera pas la destinataire de la carte postale du *Lit défait*, d'Imogen Cunningham, qu'elle a trouvée hier dans un sachet de carterie sous les clés de Kit, sur la table de la salle à manger. Elle ignore à qui elle est destinée. Très probablement à Yvonne Scherr, qui joue Mandy, l'ambulancière paramédicale forte en gueule de la série TV de Kit. Jesse ne supporte pas d'imaginer qu'Yvonne lui fasse des avances. La fille est une vamp de première, elle décoche des regards brûlants sur commande, comme Shanghai Lily. Ses filets sont toujours déployés. C'est le genre d'aventure que Kit trouverait amusante un moment. Jesse soupçonne que ce voyage est un cadeau d'adieu de la part de Kit, que les mauvaises nouvelles lui tomberont dessus à leur retour.

Elles sont à présent sur l'ancienne route 4. Peu habitués à être dérangés à cette heure, lapins et ratons laveurs zigzaguent le long des minces accotements de gravier. La nuit

1. Allusion au dicton « *Home is where the heart is* » (« Où le cœur aime, là est le foyer »).

n'offre aucun soulagement à l'enfer dans lequel elles sont entrées vers le milieu de l'après-midi. C'est comme si la chaleur avait été absorbée le jour par le sol pour être désormais libérée dans l'air. Jesse peut sentir son dos trempé contre le velours des sièges ; son pied fourmille d'avoir appuyé si longtemps sur la pédale d'accélérateur. Les lumières des phares rebondissent sur les lettres réfléchissantes du panneau :

NEW JERUSALEM – 11 km
EULA GROVE – 37 km

Elle passe devant la pancarte indiquant la limite de la ville.

Kit ouvre la boîte à gants pour voir le visage de Jesse à la lumière. « Ça fait bizarre d'être de retour ?

— Ouais. Plutôt sympa aussi. Étrangement. »

Elle désigne le magasin d'alimentation et les habitations d'une demi-douzaine de familles qu'elle connaît. Dépasse le palais de justice-bibliothèque. Dépasse le restaurant. Dépasse ce qui était autrefois un magasin de denrées non périssables, désormais un vidéoclub. L'enseigne du coiffeur clignote dans la vitrine en lettres cursives blanc pâle : PERMANENTE À BELLES VAGUES QUI DURENT.

Elle conduit comme si la voiture était un fantôme vaporeux plutôt qu'un gros morceau d'acier. Elle passe trois feux rouges comme s'ils étaient orange avant que Kit n'émette un bruit de gorge.

Jesse prend un virage sans ralentir. « J'ai vécu ici dix-sept ans. À moins que quelqu'un ne meure ou ne soit en train d'accoucher, je peux t'assurer que nous ne verrons rien bouger à cette heure-ci, sauf nous. »

« Je n'arrive pas à croire que ta mère continue à dormir après ça », déclare Kit après avoir laissé tomber une valise, secoué longuement la poignée de la porte moustiquaire en essayant de l'ouvrir, puis être rentrée dans une desserte à roulettes au milieu de la cuisine, où Jesse ne se souvenait pas qu'elle était.

« Oh, je pense que nous l'avons probablement réveillée, réplique Jesse. Mais elle ne descendra pas. Elle attendra jusqu'à demain. Elle voudra être pomponnée pour faire bonne impression sur quelqu'un de nouveau. »

Les idées de sa mère sur la beauté ont moins à voir avec le charme qu'avec d'anciennes formes fixes – des coiffures courtes et gaies, des parfums « de jour », des combinaisons sous les robes, des bas même en plein été, des mouchoirs en tissu (jamais en papier). Ces emblèmes de respectabilité traditionnels sont aussi devenus des symboles de résistance à l'inévitable pente qui mène aux taches sur un ourlet, à la poussière sur une étagère, à la moisissure sur un rideau de douche. Et, de là, tout droit aux tartines de rouge à lèvres appliquées sans miroir, aux pyjamas portés en pleine journée.

Jesse n'est pas revenue ici depuis trois ans. La revoici pour le soixante-cinquième anniversaire de sa mère et son départ à la retraite au bout de quarante-deux ans d'enseignement de l'anglais au lycée. Il y aura une fête le lendemain après-midi dans le jardin de sa marraine, Hallie. Presque tous les invités se connaissent depuis toujours.

Une note est collée sur la porte du réfrigérateur au moyen d'un aimant plastifié reproduisant des paroles édifiantes sur la cuisine et l'amitié. La note dit : *Prenez une collation. J'ai laissé des réchauffes ici.*

« C'est quoi des réchauffes ? » demande Kit avec impatience.

Jesse voit bien qu'elle s'imagine un mets spécifique, à la fois régional et délicieux, comme des beignets. Elle embrasse Kit, puis la déçoit. « C'est juste ce qu'on appelle des restes, par ici. »

Kit ouvre le réfrigérateur, en inspecte l'intérieur avant de conclure : « Poulet frit.

— De Kentucky Fried Chicken. » Jesse le sait sans avoir besoin de regarder. « Je vais te préparer une assiette. »

Elle commence à faire le tour de la cuisine, reçoit en plein cœur le contenu des tiroirs et des armoires, toutes les vieilleries. L'assiette ornée de l'image du barrage de Bagnell. La cuillère à glace remportée un été pour avoir baptisé un nouveau parfum de la crémerie Gilley – « Passion de pêche ».

« Monte-la dans la chambre, dit-elle en tendant l'assiette à Kit. Je suis lessivée. »

Leurs sacs traînés dans l'escalier résonnent comme des coups dans les murs. À la porte de sa chambre, Jesse pose la main sur la poignée, puis se retourne et tente de préparer Kit à ce qu'elle va voir. « C'est une sorte de sanctuaire. Je veux dire, c'est moi qui l'ai commencé, bien sûr. Mais même aujourd'hui, ma mère le laisse tel quel. C'est extrêmement bizarre de sa part, elle qui a toujours rejeté la natation et a toujours fait en sorte que je sache à quel point c'était selon elle une perte de temps pour quiconque possède un cerveau. Elle n'est même pas venue à Mexico. Va savoir. Bien sûr, elle est très rusée quand il s'agit de donner ou de refuser son approbation. Elle accorde juste assez pour bien faire sentir que les quatre-vingt-dix-neuf pour cent restants ont été refusés.

— Peut-être qu'elle était secrètement fière mais ne savait pas te le montrer, remarque Kit.

— C'est vrai qu'à cause de moi elle a hérité d'un drôle de statut ici. Pas de mari ni de petits-enfants, mais on a donné mon nom au collège.

— Je n'ai pas vu ça.

— Plutôt mourir. J'ai fait un grand détour pour ne pas passer devant », dit Jesse en poussant la porte.

« Mon Dieu, murmure Kit. La tombe du roi Tut. »

La pièce est remplie d'or et d'argent, de rubans de satin coloré, de médailles et de trophées, de statuettes de filles en maillot de bain pudique accroupies sur des plots de départ, galvanoplastifiées dans un éternel présent, à l'affût de la détonation d'un coup de feu qui ne partira jamais.

Kit se promène lentement dans la pièce, comme une touriste. Elle ne tarde pas à tomber dessus. L'objet tient grâce à plusieurs punaises enfoncées dans le plâtre : une médaille d'argent sur un gros ruban rouge, blanc et bleu. À côté se trouve une photo de journal jaunie de Jesse sur la deuxième marche, celle de gauche, d'un podium. Les trois filles ont les cheveux humides, les bras chargés de roses et des sourires encore nourris par l'adrénaline. Elles viennent de prouver, quelques minutes avant que cette photo n'ait été prise, qu'elles sont les trois femmes les plus rapides au monde à franchir cent mètres d'eau.

« Comment as-tu pu redescendre de là ? dit Kit.

— Avec un bruit sourd, j'en ai peur. »

« Qu'est-ce que c'est que ça ? » demande à présent Kit.

Jesse, le dos tourné, est en train d'extraire une chemise de nuit d'un sac en toile. Pourtant, elle sait exactement ce que

Kit a trouvé : une autre photo. En elle, tout se fige. Kit tient un cadre de supermarché en bois noir. C'est une photo étrange, prise par-derrière. Jesse et Marty portent toutes les deux un pantalon de survêtement enfilé par-dessus leur maillot. Elles se tiennent côte à côte dans une atmosphère d'après-coup, enlacées par les épaules, dans l'attente qu'un autre événement merveilleux se produise.

Kit devine : « Toi et la fille qui t'a battue. C'est quoi son nom ? »

Jesse se tourne et s'efforce de rassembler quelques mots – deux ou trois feraient l'affaire –, mais elle n'y arrive pas. Elle est assise sur le lit étroit dans une obscure défaite. Kit s'aperçoit qu'il y a un problème et prend les choses en main. Elle s'approche, pousse le sac sur le sol et s'allonge sur Jesse. Elle plaque ses poignets sur le vieux matelas recouvert de tissu chenille et s'abaisse jusqu'à ce que sa bouche soit contre l'oreille de Jesse. « Ça me plaît qu'il y ait quelque chose de trop important pour que tu m'en parles. »

Bien plus tard, Jesse est assise sur le sol de la salle de bains de sa mère, dans la lueur bleutée de l'applique en forme de coquillage qui trône au-dessus du miroir. Un peu de fraîcheur se diffuse dans sa joue appuyée contre la baignoire. Ses yeux sont fermés et, derrière ses paupières, tout est déjà passé à l'aigue-marine. Elle a remonté quelques millions de moments jusqu'à celui où elle abat sa main sur le carreau au bout de son couloir dans la piscine, faisant surface pour découvrir ce que le destin a écrit. Retirant son bonnet, secouant la tête pour évacuer l'eau de ses oreilles – comme si le problème était de ne pas entendre, alors qu'en fait c'est de ne pas savoir. Elle regarde Marty, qui vient également de passer du bruit blanc de l'eau à la cacophonie qui entoure le bassin, et à la surface dure et sèche du reste du monde, où elles vont être jugées. Elles ont déjà accompli ce pour quoi elles étaient venues, remporté les médailles attendues, réalisé des temps qui entreront dans le livre des records. Mais quels temps ? Quelles médailles ?

Puis Bud Freeman s'accroupit devant Jesse et lève deux doigts, le visage dénué d'expression après des années passées à transmettre des nouvelles à la fois bonnes et mauvaises. Et, dans cette fraction de seconde où elle découvre qu'elle a perdu, Jesse se rend compte qu'elle était convaincue qu'elle gagnerait, que, depuis le début, elle n'avait pas vraiment envisagé de perdre. Réévaluer ses attentes à la baisse ne lui suffira pas pour accepter cette défaite ; il lui faudra plutôt reconstruire complètement sa notion d'elle-même. Et elle doit accomplir cela dans les prochaines minutes, avant de sortir de la piscine et de se sécher, de passer un sweat et de sourire (le sourire est impératif, impérativement attendu) sur la marche du podium légèrement plus basse que celle de Marty. Laquelle, dans le couloir contigu, vient de recevoir le revers de la mauvaise nouvelle de Jesse, et qui, dans sa joie pure d'avoir remporté l'or, lui tend la main à travers les flotteurs, passe un long bras autour de ses épaules. Jesse peut sentir la bouffée de chaleur de sa peau sous le film d'eau froide.

« Je te l'avais dit ! crie Marty, même si dans le vacarme environnant personne ne l'entendra à part Jesse. Nous avons gagné. Toute la vitesse est à nous ! »

Et pendant un bref instant – celui dont Jesse a besoin pour s'éloigner de la douleur qui lui cisaille le cœur –, elle le croit, elle adhère à la version de Marty et se sent entraînée dans le couloir d'à côté, puis propulsée, toutes les deux s'élancent en arrière dans l'eau, font des roulades au fond du bassin, effleurant le sol aigue-marine.

À partir de là, la couleur du souvenir pâlit jusqu'au blanc, le blanc mort de la veille : dans les douches, sur un large lit de serviettes fraîches qu'elles ont éparpillées sur le carrelage avant de s'étendre dessus. Il est tard. Tous les autres sont à l'étage, dans le sommeil agité qui précède les compétitions. Dans leur inconscience collective, toutes remportent l'épreuve. Les lits de ce dortoir sont remplis de médailles d'or luisant comme des pièces de monnaie qui débordent de malles au trésor.

Quelques étages plus bas, Jesse est étendue sous Marty, immobile, sentant toute la pression peser sur elle, prenant son empreinte, enregistrant les détails de son corps dans sa mémoire. Les petits seins durs. L'envergure des épaules, plus large même que la sienne. Aujourd'hui, c'était jour de rasage, un rituel chez les nageuses – le « pschitt » de la mousse, le reflet des lames dans cette salle de douches alors que des mois de pilosité étaient emportés afin d'éliminer leur traînée infinitésimale dans l'eau, de faire de leurs corps l'assemblage de surfaces le plus lisse, le plus hydrodynamique possible. Et à présent, Jesse sent ces surfaces – Marty chaude et sèche à la fois – contre les siennes.

Elle relève la tête et par-dessus l'épaule de Marty son regard suit toute la longueur de leurs corps, car l'une et l'autre sont de grandes filles, avec de longs membres. Quand elles nagent, leurs bras semblent attraper l'eau comme s'il s'agissait d'un champ d'un million de libellules aigue-marine. Bien qu'elles soient toutes les deux de teint clair, une blonde et une rousse, l'entraînement de l'été a bruni leur peau, et dans ce clair de lune particulier, contre le blanc des serviettes et du carrelage, leurs membres paraissent noirs.

La sensation spécifique de Jesse à cet instant est celle d'une vague qui reflue vers la sécurité, comme si elle avait franchi une très haute barre pour retomber sur un lit de plumes. Ses légers doutes à propos de Marty – le fait que leur amitié ne soit peut-être pas née d'une pure impulsion et d'un désir mutuel, mais qu'elle ait été calculée, planifiée –, ces peurs s'estompent sur-le-champ. Jesse qui, à dix-sept ans, touche et se laisse toucher pour la première fois, se dit que deux personnes ne peuvent pas être aussi proches et avoir des secrets l'une pour l'autre.

Au moment où elle se réveille, Jesse est seule dans la chambre, la carte d'Imogen Cunningham appuyée sur l'oreiller du lit jumeau vide. *Essaie de me connaître*, dit son texte. *Ne m'invente pas. K.*

Des traces de café et de conversation flottent dans l'air. Sa mère et Kit sont en bas dans la cuisine. De là où se trouve Jesse, on dirait que tout se passe bien sans elle. Le rythme des paroles, les intonations semblent plaisantes et superficielles. Kit se montre probablement charmante, décrivant la vie à New York à l'image d'un film avec Doris Day et Rock Hudson, une vie comme personne n'en a vécu à Manhattan depuis quarante ans. Un tourbillon de travailleuses futées et de voisins excentriques colorés, des ribambelles de fêtes peuplées d'hommes fascinants, mais hélas inaccessibles. La mère de Jesse ayant jusqu'à présent hésité à aller visiter New York, ces fictions passent très bien avec elle.

Jesse, elle, n'a jamais eu recours à de telles histoires. Non qu'elle ait fait son coming out avec sa mère. Toutes deux n'ont jamais eu de vraie conversation. En revanche, elle n'a jamais menti carrément, ni inventé de petits amis. Quand elle a emménagé avec Kit, elle le lui a dit. Et maintenant, elle a ramené son amante à la maison.

Quand Jesse descend, elle comprend qu'elle s'est trompée. De près, les intonations ne sont pas si plaisantes. Maintenant, elle regrette d'être restée aussi longtemps au lit, puis sous la douche.

Sa mère est debout devant la cuisinière, attendant près d'une bouilloire qui se met à vibrer. Avec l'âge, elle prend l'apparence d'un personnage austère, le genre de vieille femme qui fait peur aux petits enfants. Elle est presque aussi grande que Jesse, environ un mètre quatre-vingts, et se tient parfaitement droite, ce qui ne fait qu'ajouter à l'effet menaçant. Elle a toujours considéré sa taille comme un atout plutôt qu'une bizarrerie, a remporté le ruban de la Plus Grande Fille une année à la foire du comté de Mullen, n'a jamais été dérangée par le fait de dépasser le père de Jesse.

Chaque fois que Jesse rentre à la maison, sa mère est plus mince ; elle a maintenant l'allure dégingandée des fermières dont elle s'est toujours crue supérieure. Le fait d'être tendue lui donne l'air encore plus sévère en cet instant. Ses lèvres sont serrées, avec les coins qui s'abaissent. Quelque chose a mal tourné. Jesse tente de redresser la situation en faisant une entrée remarquée. Elle prend sa mère dans ses bras et récolte une étreinte gauche et brève autour de la taille. Celle-ci a toujours été mal à l'aise avec les démonstrations physiques. Si elles avaient été seules dans la cuisine, Jesse n'aurait même pas essayé. Mais devant Kit, elle ne veut pas passer pour « l'étranger » de Camus.

« En voilà une coupe de cheveux sophistiquée », remarque sa mère, regardant sans toucher le style vaguement new wave que Jesse porte depuis un moment. Traduction : elle trouve ça ridicule, affecté. « Comment est-ce qu'on appelle ça ? » Une des spécialités de sa mère, ce sont les questions sans réponse.

« J'arrive trop tard pour les bonnes choses ? » enchaîne Jesse. Cette question est également une mascarade. Il n'y a pas de bonnes choses. Sa mère déteste cuisiner, en a toujours fait le moins possible jusqu'à ce qu'elle soit sauvée par l'arrivée d'aliments surgelés, de dîners à réchauffer ou à emporter. Elle a eu le premier micro-ondes de New Jerusalem. Elle est allée en voiture jusqu'à une usine de l'Arkansas pour le récupérer.

À présent, elle ouvre le congélateur et en sort une pile de boîtes givrées.

« J'ai des pancakes aux myrtilles. Œufs brouillés avec saucisse. » Elle abaisse ses lunettes sur son nez et lit sur un emballage : « Omelette façon western.

— Les pancakes ont l'air bien », répond Jesse.

Sa mère ouvre la boîte, retire le film plastique, enfourne la barquette dans le micro-ondes, claque la porte et tape à toute allure des commandes sur le tableau de bord. Elle s'essuie les mains sur un torchon et soupire : « Voilà. » Comme Julia Child[1] au terme du sixième pétrissage vigoureux de la pâte à croissants. « Café ? »

Jesse hoche la tête et la regarde verser une cuillerée de café soluble dans une nouvelle tasse placée à côté des deux autres attendant déjà que l'eau bouille. Elle peut voir que Kit fait de gros efforts. Celle-ci porte un short de marche

1. Cuisinière présentatrice de programmes télévisés.

blanc, ample, un polo bleu pâle, et a coiffé ses cheveux dans un style de douce jeune femme. Elle s'efforce de paraître la version la plus discrète et la plus acceptable possible d'elle-même. Elle ignore que les choses ont déjà pris une vilaine tournure.

Kit est montée à l'étage chercher le cadeau qu'elle a apporté, qu'elle qualifie de « petit quelque chose ». Elle est devenue *country* en très peu de temps. Depuis qu'elle est ici, à bavarder avec la mère de Jesse, elle a même pris un soupçon d'accent du Missouri. En descendant l'escalier, Jesse l'a entendue poser à sa mère des questions sur l'artisanat local. Sa tête est remplie de dessus-de-lit en patchwork et de confitures de baies pittoresques, de groseilles et de sureau. À trente ans, Kit considère toujours l'expérience comme une surprise emballée dans un paquet-cadeau qui ne serait destiné qu'à elle. Parfois, cet aspect de son caractère est d'une irrésistible candeur. D'autres fois, Jesse préférerait qu'elle soit une nouvelle Édith Piaf de cinquante-cinq ans, quelqu'un dont la vie grandiose est révolue, réduite à un chapelet d'anecdotes ne laissant rien à regretter.

Kit demeure à l'étage assez longtemps pour que Jesse ménage quelques ouvertures afin de donner à sa mère une chance de révéler ce qui la dérange.

« C'est un trajet plus long que dans mes souvenirs. En fait, à chaque fois, cela semble s'allonger un peu.

— Tu as dit qu'elle était actrice. J'ai pensé à Shakespeare. Je ne sais pas… Pourquoi n'as-tu pas dit qu'elle jouait cette briseuse de couples dans le feuilleton à l'hôpital ?

— Oh, maman. Tu ne regardes pas ce truc ?! »

Les lignes s'étirent à nouveau aux commissures de la bouche de sa mère, lui donnant un aspect artificiel, comme une poupée ventriloque.

C'était le même regard, dans cette même cuisine, qui avait amené Jesse à écourter brusquement sa dernière visite, laquelle devait durer deux semaines mais s'était soldée par son départ dans un bus de nuit pour Saint Louis au bout de cinq jours seulement. Un départ imprévu en réponse au moment où la mère de Jesse, après avoir dénigré tous les aspects importants et les accomplissements de la vie de sa fille, avait regardé par-dessus sa tasse de café instantané et s'était demandé à voix haute si Jesse ne développait pas des chevilles épaisses, tenant en cela de la famille de son père, avec ses femmes aux silhouettes grossières.

C'est aussitôt après cette remarque que Jesse était montée dans son ancienne chambre et avait fait ses valises, comme les personnages des films de série B au sortir d'une dispute orageuse ou d'un mariage désastreux – fourrant pêle-mêle leurs affaires dans la valise sans rien plier, sans se soucier de jeter des chaussures sur des chemises blanches, s'asseyant ensuite sur le dessus bombé pour tirer la fermeture éclair, puis sortant de la maison dans la déflagration d'une porte claquée.

Jesse était venue cette fois bien déterminée à ne pas faire allusion à cette dernière visite. Elle s'attendait, en fait, à ce que, précisément pour cette raison, sa mère se tienne à carreau. Il semble que cela ne sera pas le cas.

« Nous avons un comité à l'église, lui explique sa mère, attribuant à une autorité supérieure la responsabilité du fait qu'elle ne pouvait pas accepter Kit. “SOS. *Save our Sinners*[1]”. Nous écrivons des lettres aux émissions, aux chaînes de télé. Nous leur demandons de supprimer les personnages comme le sien et de créer des familles qui reflètent les valeurs chrétiennes. »

1. Sauvez nos pécheurs.

Jesse s'efforce de hocher la tête d'un air sérieux, mais sa mère peut sentir son amusement et émet un léger bruit de colère, un petit clic au fond de sa gorge, avant de se détourner pour laver quelques verres avec une brosse équipée d'un distributeur de savon.

« Elle n'a rien à voir avec le personnage qu'elle interprète dans la série, objecte Jesse, qui ne peut pas ne pas défendre Kit contre une attaque, même aussi délirante que celle-ci.

— Eh bien, j'en suis sûre, mais elle donne des idées aux gens, rétorque sa mère sans vouloir lâcher sa prise, maintenant qu'elle en a une. C'est un mauvais exemple. Comment as-tu pu rencontrer une personne du show-business comme ça, de toute façon ? demande-t-elle, avec un regard aussi appuyé qu'un coup de poing.

— J'enseigne avec son oncle », explique Jesse, avant de se demander si ces propos, loin d'évoquer un contexte chaleureux et familial, n'évoquent pas plutôt Humbert Humbert se rappelant comment il a rencontré Lolita. Elle regarde sa mère se tourner vers l'évier et agiter dans l'eau savonneuse une spatule et un repose-cuillère portant l'inscription « Cuillère ».

« Écoute... », commence Jesse, qui se sent soudain à la hauteur de ce qui se passe. En faisant son coming out, elle pourrait au moins passer à l'offensive dans cette conversation, secouer sa mère en révélant l'indicible, briser le code local de la conversation polie qui consiste à éliminer les questions désagréables ou délicates.

« Tu n'as pas besoin de me le dire, interrompt sa mère. C'est dans toutes les émissions. Donahue. Oprah[1]. » Puis

1. Phil Donahue et Oprah Winfrey, animateurs de talk-shows télévisés.

elle se tait, tend la main pour remettre la housse sur le grille-pain et clore le sujet. « Il y a quelque chose d'important dont je dois discuter avec toi », ajoute-t-elle, balayant la sexualité de Jesse comme un sujet trop insignifiant pour qu'on s'en soucie. Astucieux. Elle presse la pompe d'une bouteille de lotion pour les mains. Il en sort trop de liquide. Elle se rapproche et dépose l'excès sur les mains de Jesse. « Darrell et moi avons l'intention de faire un long voyage cet automne, dit-elle. Aller dans l'Ouest, dans son camping-car.

— Que va en dire SOS ? » Jesse n'a pas pu se retenir.

« Je me fiche de l'âge que tu as, je ne tolérerai pas ton impertinence pour autant. »

Jesse attend.

« Nous sommes sur le point de nous marier. Autour de la fête du Travail. »

Jesse garde le silence, pendant trop longtemps.

« Je sais qu'il n'est pas ton père. Je te demande juste de respecter mon bonheur. »

Jesse réfléchit une seconde. « Qu'est-on censé dire à la mariée ? J'ai oublié. Pas des félicitations.

— Meilleurs vœux.

— Eh bien, tu as les miens », dit Jesse.

La clochette du micro-ondes retentit. Jesse s'approche, en sort le petit déjeuner. Elle inhale la vapeur, qui ne sent absolument rien, puis lève les yeux et demande à sa mère : « Et Willie ? »

Sa mère s'assoit en face d'elle, comme le font les personnages féminins dans le feuilleton de Kit lorsqu'ils sont sincères et anxieux. « J'espérais que tu pourrais le prendre quelque temps. Au foyer, ça se passe bien tant qu'il peut venir ici le week-end. Ils s'occupent de l'essentiel là-bas, mais… je veux dire, ils passent à côté de beaucoup de choses importantes. Personne ne sourit quand il entre dans une pièce. Tu sais. Je ne voudrais pas le laisser là-bas pendant des mois. Il ne mourrait pas de faim, mais il se fanerait sûrement un peu. » Elle s'interrompt, puis ajoute : « Je veux juste que tu y réfléchisses. »

Jesse hoche la tête, songeuse, en faisant glisser le côté de son pouce sur sa lèvre inférieure. Elle est à peu près sûre qu'elle le fera, même si cela risque de bouleverser son existence et de vider ses poches. Kit dégringole les marches.

Jesse baisse la voix. « Laisse-moi lui parler quand je trouverai le bon moment, d'accord ? Ne le mentionne pas pour l'instant. »

Sa mère se raidit à nouveau. « Comme tu veux. »

Le cadeau de Kit est un assortiment de thés raffinés. Lapsang souchong, Gunpowder, thé vert de Chine.

La mère de Jesse inspecte les boîtes aux couleurs vives comme si elles faisaient tic-tac. « Mais pourquoi donc ? Que c'est intéressant. Il va falloir que j'organise un goûter. »

Le cœur de Jesse se fend pour Kit, pour son visage illuminé par ce qu'elle croit être un succès.

La mère de Jesse tapote les boîtes de thé et lève les yeux vers l'horloge murale. « Les filles, vous feriez mieux de courir chercher William. J'ai des vêtements de fête ici pour lui. Quand il sort du foyer, on dirait qu'on l'a habillé dans une braderie.

— Est-ce qu'il sait que je viens ? demande Jesse.

— Oui, mais je ne le lui ai dit qu'hier. Sinon, il en fait une montagne. »

En sortant, Jesse essaie d'imaginer que Kit acceptera le plan en faveur de William, mais n'y parvient pas. Kit a quitté le nord de l'État de New York – Syracuse – parce qu'elle croyait que Manhattan serait « chaud ». Et habiter avec sa copine et son frère trisomique, probablement à Brooklyn afin de s'offrir assez d'espace pour trois, n'a rien de particulièrement « chaud ». Non, Kit s'en ira avec Yvonne Scherr, qui a hérité de ses parents, costumiers à Broadway, une maison dans le Dakota. Elle organise des fêtes où tout le monde essaie sa grande collection de chapeaux. Kit choisira assurément les chapeaux.

La rejeter comme immature est l'une des défenses de Jesse contre le moment où Kit la quittera. Une autre tactique consiste à repenser à des choses que Kit a dites et qui n'étaient ni intéressantes ni drôles. Elle s'efforce de mettre autant de rembourrage que possible entre elle et la dalle de pierre qui va lui tomber dessus.

Naturellement, Jesse se rend compte aussi qu'elle exagère peut-être les choses, simplement pour les rendre plus intéressantes. Une vieille habitude chez elle.

Évidemment, tout le monde désigne « La Ferme des Loups », où habite William, comme « la ferme des loufs ». Les garçons du coin se précipitent à vélo dans l'allée, lancent quelques insultes comme on largue des journaux roulés, puis s'enfuient en faisant des dérapages dans le gravier. William et ses amis, le jeune personnel de la maison, n'ont pas l'air de prendre ces agissements trop à cœur.

Ils font des signes aux garçons – autant pour les saluer que pour les chasser –, puis s'approprient leurs insultes et se les renvoient les uns aux autres dans ce qui est aux yeux de Jesse un mécanisme de désamorçage assez sophistiqué. Ils s'appellent « retardé » et « crétin » et se moquent des bizarreries d'autrui telles qu'ils les perçoivent. Ce qu'ils considèrent comme ridicule relève cependant d'une évaluation sélective. Par exemple, alors qu'ils paraissent trouver que faire des grimaces – loucher, tirer la langue, bouger les oreilles – est hautement spirituel, les chutes sur les fesses leur semblent puériles. Ils jouent beaucoup entre eux et ne se laissent pas trop envahir par un monde extérieur toujours en décalage.

Le bâtiment se dresse au bout une immense pelouse en pente. Il se compose d'une ancienne ferme flanquée d'une énorme grange. La ferme est en activité. Sous surveillance, les hommes et les femmes qui vivent là cultivent des légumes et font une petite récolte estivale de maïs. Ils élèvent une dizaine de vaches laitières et des poules. William se plaît bien ici, il y a des amis. Mais il est aussi toujours impatient de rentrer chez lui le vendredi après-midi pour deux jours d'attention plus concentrée, plus directe.

Tout le monde est dehors sur la pelouse, en train de jouer à une variante assez fantaisiste de base-ball alanguie par la chaleur. Jesse et Kit sortent de la voiture et s'assoient sur le capot pour regarder la partie. C'est comme si l'un d'entre eux avait entendu un match ou deux à la radio et qu'ils se basaient là-dessus. Il y a beaucoup trop de défenseurs, peut-être dix, dont William, et deux frappeurs, à une certaine distance l'un de l'autre. Le tout est de savoir à qui la balle sera lancée.

« Eh bien, commente Kit. Pourquoi pas ? »

Jesse sourit d'avoir été repérée. William quitte la partie et accourt sur la pelouse, au beau milieu du match. Les autres joueurs ne semblent pas trop gênés par sa désertion, pas plus qu'ils ne le sont par le tourniquet qui arrose le milieu du terrain.

Elle regarde William venir vers elle et déborde d'émotion. Il lui est impossible de le voir pour ce qu'il est. À ses yeux, il est toujours enveloppé de leur passé commun. L'enfance de Jesse a forcément été liée à Willie. À cause de lui, il a fallu apporter constamment des aménagements, déplacer son centre de gravité pour le rapprocher de Willie. Il a fallu détourner de l'argent pour payer les écoles spécialisées, les programmes adaptés. D'énormes quantités d'attention ont dû lui être accordées par tous pour l'aider à surmonter sa frustration de ne pas être compris, et de ne pas comprendre.

Et Jesse, une enfant dans la norme, dans la moyenne, était dépréciée d'être si privilégiée. On s'attendait à ce qu'elle excelle – comment aurait-il pu en être autrement, compte tenu d'un tel avantage ? On ne s'attendait pas exactement à ce qu'elle disparaisse, plutôt à ce qu'elle se cantonne dans un état de transparence, qu'elle n'existe pas tout à fait. Et donc même si Jesse aime son frère au point de sentir le muscle de son cœur se contracter dans des moments comme celui-ci, en le revoyant pour la première fois après une absence, elle lui en veut aussi d'avoir monopolisé toute l'enfance disponible à la maison.

Il ressemble moins à lui-même que la dernière fois que Jesse l'a vu, et plus à un handicapé mental générique. *C'est l'un des inconvénients de la vie en institution*, pense-t-elle. Il est plus lourd et marche comme ses amis, les pieds à plat, remuant ses doigts devant lui. La démarche d'un homme de trente-six ans qui n'a jamais porté de costume, ni conduit de voiture ou conclu de marché.

« Ohlàlà ohlàlà », dit-il en s'approchant. Il prend de la vitesse, commence à courir à fond vers Jesse. Puis s'arrête net à deux mètres et se tient là, tremblant de timidité, passant ses pouces d'avant en arrière sous la ceinture de son pantalon marron.

« Excusez-moi, mais avez-vous vu mon frère Willie ? » demande Jesse.

La question lui fait baisser les yeux.

« La dernière fois que je l'ai vu, il portait un pantalon bleu. Il vous ressemblait un peu, je dois dire.

— Moi.

— Mais non, dit Jesse, posant une main sur sa joue et le regardant. Il avait les cheveux longs. »

William passe une main dans ses cheveux, dont la coupe étudiée est nouvelle pour Jesse.

Elle tapote son petit ventre. « Et mon frère n'avait pas ça. »

Il rigole et elle abandonne le jeu, se laissant écraser dans une étreinte. « Oh, Cow-boy. » Puis elle recule un peu pour faire les présentations. « C'est Kit. »

William hoche la tête avec assurance et dit : « De Ferris. »

Ferris est l'école primaire où Jesse est allée. Elle se dresse toujours là, à un pâté de maisons de chez sa mère, une forteresse de briques noircies à petites fenêtres conçue pour intimider les enfants. William ne l'a pas fréquentée. À cette époque, ils savaient déjà qu'il n'irait pas à l'école ordinaire. Il accompagnait Jesse au coin de la rue le matin et l'y attendait quand elle sortait l'après-midi. La fille qui faisait traverser les écoliers de ce côté était Kitty Hanes. William est capable de se souvenir d'incroyables détails de rien du tout datant d'un million d'années, puis après ça il sort en oubliant qu'il a mis des chaussettes mais pas de chaussures.

« Non, lui dit-elle. Une autre Kit. »

Mais il est distrait par le match de base-ball. Tout le monde est en émoi. Trois ou quatre personnes sont en train de faire le tour des bases dans le mauvais sens. Tout le monde réclame de l'ordre, mais pas forcément le même.

Quand elles le font enfin monter dans la voiture, Kit s'installe à l'arrière, s'en remettant à William, qui finit néanmoins par s'asseoir à côté d'elle. Tout en les ramenant chez sa mère, Jesse tend l'oreille par-dessus son épaule.

« Je sais beaucoup de choses sur toi, dit Kit. Jesse parle de toi tout le temps.

— Comment ?

— Oh, Willie par-ci, Willie par-là.

— Willie quoi ?

— Willie est le meilleur. »

Dans le rétroviseur, Jesse voit les yeux de son frère se fermer légèrement, comme quand il est heureux. Elle serait prête à arrêter la voiture, à en sortir et à soulever Kit au-dessus de sa tête. Lui offrir tous les bouquets d'un fleuriste. Lui mitonner un soufflé au fromage.

Quand ils s'arrêtent devant la maison, un camping-car customisé est garé dans l'allée. Il est bleu irisé avec des hublots à bulles en plexiglas sur le côté, la carrosserie décorée à l'aérographe d'un paysage composé de pins, d'un ruisseau et de cerfs, avec quelques lapins près du réservoir d'essence. À l'arrière, tout le long de la portière, entre guillemets, se déroule l'inscription « *My Way* ».

« Darrell, annonce William.

— Eh bien voilà », fait Kit, la main tendue par-dessus le dossier du siège pour ébouriffer les cheveux de Jesse.

Jesse n'a pas encore rencontré Darrell. Les premières fois que sa mère l'avait mentionné dans ses lettres, elle s'était représenté un type corpulent aux épaules étroites, mauvais au golf, racontant plein d'histoires sur ses petits-enfants. À l'évidence, rien de ce qu'elle aurait pu imaginer dans quelque registre que ce soit n'aurait pu la préparer à Darrell. C'est un candidat si peu prédisposé à l'affection de sa mère que Jesse va devoir réexaminer l'idée qu'elle se faisait d'elle.

Lorsque les photos sont arrivées, Jesse a vu qu'il avait environ dix ans de moins qu'elle. Du point de vue du style, du physique et du comportement général, Darrell ressemble à un Chuck Berry blanc. La mère de Jesse l'a rencontré par le biais du groupe social de son église. Darrell joue de la *pedal steel guitar* dans un groupe de *country rock* qui s'est produit à l'un de leurs bals. Le week-end, son groupe joue au *Blue Light*, un relais routier connu près de Bedelia. L'endroit est orné de grosses lumières bleues de Noël autour des fenêtres, qui sont barricadées pour éviter la casse le week-end. Beaucoup de clients apportent des armes avec eux, pour régler des questions de bienséance.

« Je pense que Darrell est l'équivalent d'un *escort-boy* pour ma mère, dit Jesse à Kit alors qu'elles descendent de la voiture.

— Comment s'intègre-t-il à la bande de son église ?

— Elle le sauve. Chez eux, on aime les brebis perdues. Elle l'a emmené aux offices du dimanche. Il est dans la chorale. Je n'ai aucune idée de ce que ses amis puritains pensent de lui. C'est plutôt mignon, d'une certaine manière, si toutefois on peut employer ce mot pour ma mère. C'est sa petite rébellion à elle. »

Darrell est en train de réparer quelque chose sous l'évier quand tous les trois entrent dans la cuisine. Ses hanches et ses jambes osseuses serrées dans un jean et ses bottes en peau de serpent à bout argenté dépassent de la grotte noire du placard béant. La mère de Jesse finit de monter les marches menant au sous-sol, tenant à pleines mains un pantalon de toile et un polo rayé tout juste sortis de sa presse à vapeur.

« Je viens de les repasser pour toi, dit-elle à William. Montons à l'étage, tu vas te changer. Il va y avoir une fête.

— Une fête ! s'exclame William d'une incroyable voix de Noir en claquant des doigts comme un jazzman.

— *Soul Train* [1] », dit la mère de Jesse pour justifier l'attitude de William, puis, pour expliquer celle de Darrell : « Il me pose un nouveau siphon. L'ancien est complètement rouillé. »

Des grognements de labeur jaillissent du trou noir, enfin Darrell émerge, tenant une clé et un morceau de tuyau cabossé. Il se déplie comme une table de camping, à quatre-vingt-dix degrés, et se frotte le bas du dos avec la clé à molette. Il porte un maillot de corps fin sans manches, blanc et saturé de sueur, qui révèle un tatouage sur le haut du bras, l'image d'une femme en pantalon à pattes d'éléphant, la tête surmontée d'une masse de cheveux. « Cora », dit la légende. Jesse sourit et s'efforce de ne pas imaginer sa mère au lit avec Darrell, mais elle est comme le cobaye d'un test de psychologie à qui on a demandé de ne pas penser à un ours blanc. Elle essaie de maintenir au moins un drap sur sa mère et Darrell, et Cora.

« Mesdames », dit Darrell en traînant sur la dernière syllabe. Il s'incline un peu, comme s'il les invitait à danser. « Jesse, je n'ai pas eu le plaisir, et ce doit être l'actrice. » L'approche de Darrell, qui passe pour un modèle de charme et de sophistication au *Blue Light*, le ferait probablement arrêter par la police à New York. Cependant, Jesse peut

1. Première émission de variétés de la télévision américaine créée pour un public noir, en 1967.

percevoir, sous ce discours enjôleur, qu'il est un peu timide en présence de célébrités. Il tapote l'arrière de ses cheveux d'un geste félin.

« Mes filles regardent votre émission. Collées à l'écran quand je me lève. » Voilà qui en dit long sur l'emploi du temps de Darrell ; la diffusion débute à quinze heures.

« Je ne savais pas que vous aviez des enfants, remarque Jesse.

— Quelques-uns. Ici et là, dit Darrell en agitant les doigts en l'air. Et quelques autres qui pensent l'être. Rien qui tiendrait devant un tribunal. »

Jesse peut voir que Kit jubile. Évidemment, ce n'est pas *sa* mère.

Ils se rendent tous chez Hallie dans le camping-car. Darrell conduit et la mère de Jesse est assise à côté de lui dans un siège baquet en velours assorti au sien. Ils se tiennent la main par-dessus le levier de vitesse. William teste l'une des couchettes, à l'arrière, tandis que Jesse et Kit se font face dans de petits sièges pivotants rivés au sol de part et d'autre d'une table de poker.

« Prenez un Coca, allez-y, ou un Seven-Up », propose Darrell par-dessus son épaule, mais personne ne bouge. Il enfonce une cassette dans l'autoradio du tableau de bord et Merle Haggard emplit d'un coup le véhicule avec « A Place to Fall Apart ».

Kit baisse les paupières et dit à voix basse à Jesse : « On s'est déjà vues quelque part, non ? »

Quand la fête commence, la température atteint son pic pour l'après-midi du jour le plus chaud d'un été très chaud, même pour le Missouri. On a tiré des ventilateurs équipés de rallonges, et on a placé des blocs de glace devant eux. Cela n'a rigoureusement aucun effet sur la chaleur, ni sur l'air stagnant.

Il y a peut-être cinquante personnes dans le jardin d'Hallie et, selon la coutume dans ces régions, assez de nourriture pour alimenter le double. La longue rangée de tables mises bout à bout est couverte de bols. Haricots et salades de chou et concombre à la crème acidulée. Salade de pommes de terre allemande. Une assiette remplie de cubes congelés ananas-cerise, déjà en voie de réchauffement. Des ragoûts sur des dessous-de-plat – haricots blancs et tomates, pommes de terre en fines tranches, pommes de terre cuites deux fois et pommes Anna. Un plateau de soufflés aux pois. Trois sortes de poulet frit. Une grande planche à découper sur laquelle sont empilées des côtelettes grillées. Les desserts occupent à eux seuls un tiers de l'espace. Tartes à la rhubarbe, aux myrtilles, aux pommes. Tourte aux framboises. Une glacière contenant de la crème glacée à la pêche dans une bassine de glace pilée. Un cake. Deux gâteaux au chocolat. L'un est uni, l'autre décoré de lettres en glaçage (« Joyeux 65e anniversaire Frances ! »). À la connaissance de Jesse, personne n'a jamais appelé sa mère « Fran ».

Jesse cherche du regard Hallie mais ne la trouve pas, puis on l'invite à se tenir debout à côté de Darrell et de sa mère à la tête du buffet afin de pouvoir saluer tout le monde. Certains des invités sont des parents – les frères de la mère de Jesse, les sœurs jumelles de son père et leurs enfants et petits-enfants. Certains sont des voisins, d'autres des enseignants du lycée, d'autres encore d'anciens élèves de sa mère. Jesse est saisie de tendresse ou d'un sentiment analogue pour tout ce petit monde en train de se faner un peu dans ses plus beaux vêtements. Eux-mêmes sont des cadeaux, autant que les boîtes emballées qu'ils apportent dans le jardin en même temps que leurs plats recouverts de film alimentaire.

Il est difficile d'imaginer une telle fête à New York. Depuis qu'elle s'est échappée de sa ville natale et a franchi son épaisse clôture, Jesse s'est privée de pareille expérience. À New York, un groupe d'amis peut se réunir et célébrer une action que l'un d'eux a accomplie, mais la fête d'aujourd'hui célèbre quelqu'un d'être simplement resté au même endroit assez longtemps pour accumuler lentement de l'affection, comme un livret bancaire thésaurise des intérêts. Même si sa mère a probablement saqué un tiers des invités présents pour leur incapacité à écrire une phrase qui se tienne.

« Tout le monde aime ta maman », lui dit Darrell, et elle se demande aussitôt si c'est un reproche et si sa mère lui a parlé des tensions entre elles. Mais lorsqu'il ponctue sa déclaration en attirant Frances sous son bras et en l'embrassant sur la tempe, là où les cheveux se sont éclaircis au fil des ans, Jesse comprend que cette remarque traduit une pure fierté, envers sa mère et aussi envers lui-même, le consommateur avisé qui a cueilli une telle prune.

Jesse fait oui de la tête et sourit. Elle ne sait trop comment parler avec Darrell. Tous deux n'ont pas encore trouvé le ton, la réserve de blagues courantes et de piques anodines pour se taquiner, mais elle peut déjà voir que cela viendra avec le temps.

« Je n'ai jamais oublié "Evangeline" », dit Bob Weeks à la mère de Jesse, debout devant elle, timide comme un étudiant de première année, dansant d'un pied sur l'autre bien qu'il ait maintenant la quarantaine et soit propriétaire de la concession Buick.

Frances hoche la tête et sourit avec embarras, jusqu'au moment où elle saisit qu'il ne parle pas d'une camarade de classe mais du poème de Longfellow.

« Quand vous avez commencé à nous le faire lire, j'ai pensé que je ne pourrais jamais continuer, poursuit Bob. Mais, à ce jour, c'est le seul poème dont je me rappelle une maudite ligne. »

Le compliment semble gauche et douteux à Jesse, mais il flatte et réjouit visiblement sa mère.

« Vous aviez la plus belle écriture de tous les garçons que j'ai eus dans mes classes », déclare-t-elle à Bob Weeks, qui, au lieu de paraître gêné, rayonne.

Alors qu'elle et sa mère regardent le dos de la chemise écossaise de Bob Weeks disparaître dans la foule, Jesse dit : « Ils devraient vraiment publier un best of de Poe. Comme ces compilations des meilleurs morceaux de musique classique. Il n'y aurait dedans que les lignes dont tout le monde se souvient. Tu vois ce que je veux dire… "Mais seul Dieu peut faire un arbre." »

Elle a dit cela pour se rapprocher de Frances. Mais elle s'aperçoit trop tard qu'elle a amoindri l'hommage de Bob Weeks et enfoncé sa mère : bien qu'elle prétende être ravie que Jesse ait suivi son exemple en enseignant l'anglais, Frances déteste en réalité cette idée. Pour sa part, Jesse s'est ralliée à l'opinion courante qu'elle a marché sur les traces de sa mère, même si toutes deux savent fort bien qu'elle l'a dépassée.

Un petit avion crépite au-dessus de leurs têtes. Une réaction en chaîne s'amorce, d'abord avec une personne, puis une autre, puis tout le monde lève le nez vers le ciel sans nuages, en travers duquel navigue une bannière indiquant : « JEUNE DE 65 ANS – VAS-Y FRANCES ! »

La mère de Jesse rejette la tête en arrière et rit aux éclats, comme Jesse ne l'a que rarement entendue le faire. « C'est notre livreur UPS, Wayne, explique-t-elle. Une vraie bombe. » Elle s'arrête un instant, puis serrant son bras, demande sincèrement à Darrell : « Vas-y pour quoi, à ton avis ? »

Mavis et Marlene, les tantes jumelles de Jesse, se sont mises à danser. Elles sont vêtues de tenues assorties, et Jesse soupçonne qu'elles aimeraient s'habiller ainsi tout le temps, même si elles s'en tiennent aux « grandes occasions ». Leur tenue du jour se compose d'une robe d'été à carreaux et de sandales blanches. Les jumelles sont des pionnières en matière d'élégance, par ici. Le mari de Marlene les surnomme « La Brigade de la Mode ».

« Alors, tu travailles toujours dans cette université ? » demande Mavis.

Jesse hoche la tête.

« Il y a de beaux professeurs ? veut savoir Marlene, qui a bien étudié Joan Rivers et Barbara Walters[1] et sait aller droit au but.

— Les beaux sont déjà tous mariés », répond Jesse, encore plus vite.

Les jumelles, cependant, ne lâcheront pas l'affaire. Elle le sent. À elles deux, elles totalisent cinq enfants normaux qui franchissent les étapes de la vie, se marient, ont leurs propres enfants, restent dans la région, occupent des emplois respectables, obtiennent des promotions et progressent grâce à des cours du soir.

1. Célèbres présentatrices de talk-shows.

Cela dit, Mavis a une fille, Rosemary, qui a toujours fréquenté des gars à capuche avant d'épouser un camionneur longue distance qui l'envoie périodiquement à l'hôpital avec un œil au beurre noir et des os fêlés. Parfois, au beau milieu des bagarres, Rosemary appelle sa mère pour obtenir son soutien moral. La dernière fois qu'elle l'a fait, Mavis a raccroché et appelé la police. Lorsque les flics sont arrivés, Rosemary et son mari s'étaient rabibochés et étaient au lit en train de trinquer au lambrusco, et Rosemary n'a plus adressé la parole à sa mère depuis lors. Lloyd, son mari, dit que Mavis a une « influence perturbatrice ». À cet instant, Rosemary et Lloyd sont assis au bout de l'une des longues tables recouvertes de papier, mangent du jambon et du maïs, boivent de la limonade et rient avec de vieux amis, comme dans une pub de la marque Country Time.

C'est à cause de l'échec de Rosemary que Mavis et Marlene prennent des gants avec Jesse. Chacune a en main des cartes qu'elle ne veut pas être forcée de jouer. Les jumelles se demanderont plus tard avec qui couche Jesse. Kit, qui s'est habillée très fille pour la fête, leur complique la tâche.

Jesse l'aperçoit près du barbecue chargé d'épis de maïs enrobés de papier d'aluminium. Elle est entourée d'un petit groupe et semble en être le centre. Au début, Jesse est touchée que ces provinciaux se livrent à une activité qui n'a rien de naturel pour eux et qu'ils s'ouvrent à une étrangère. Puis elle voit Kit signer deux autographes et comprend qu'il s'agit de Rhonda. De toute évidence, tout le monde en ville n'appartient pas à « *Save our Sinners* ».

« Ça alors ! Jesse Austin, c'est vraiment toi ? » s'écrie une femme vêtue d'une robe à motif de croisillons, les mêmes que ceux qui ornent une tourte. Ses cheveux mi-longs sont coiffés dans un style que Jesse se souvient d'avoir envié aux mannequins aux cheveux raides sur les couvertures de magazines de son adolescence. Le plus remarquable, chez cette femme qui la serre maintenant dans ses bras, c'est que Jesse n'a aucune idée de son identité.

« C'est merveilleux de te retrouver », affirme-t-elle tout en se dégageant de l'étreinte et en essayant de deviner qui, au-delà de la personne qui se tient ici et maintenant, cette femme a bien pu être par le passé.

« Je n'aurais manqué pour rien au monde la retraite de ta mère, déclare celle-ci d'une voix vaguement familière. Il m'arrive encore d'en faire des cauchemars. Elle m'oblige à décortiquer une phrase hideuse au tableau. Un fatras de relatives et de propositions subordonnées. Elle se tient juste derrière moi avec sa longue baguette, prête à sauter sur le premier adjectif que j'aurais mal accordé ou un infinitif mal placé. Je pense que la langue anglaise respirera plus à son aise maintenant que ta mère en est sortie. »

Tandis qu'elle la regarde et l'écoute, Jesse réunit suffisamment d'indices pour découvrir qui est cette créature rondelette portant des lunettes de soleil à monture rose et fleurant l'eau de Cologne.

« Laurel Staats », dit-elle. La fluette Laurel de l'école primaire et même avant, avec ses déjeuners au riz complet. Jesse se souvient soudain clairement du jour où Laurel avait apporté une boîte géante de craies de cire, avec taille-crayon intégré à une extrémité, et où toutes deux avaient dessiné et colorié des images de chacun des membres de leurs familles respectives.

« Laurel Owen aujourd'hui, précise Laurel. Je me suis mariée.

— Oui. Hallie me l'a dit. Mais tu n'es pas censée vivre à Tombouctou ?

— Abu Dhabi, corrige Laurel. Mais à présent, Claude couvre la région par ici, donc je suis de retour à la maison, pour un moment du moins. »

Jesse a suffisamment recomposé la Laurel d'alors, celle dont elle avait perdu la trace après le lycée, pour saisir qu'elle est intimidée par ces retrouvailles, plus enjouée en apparence qu'elle ne l'est vraiment, se précipitant pour combler les blancs dans la conversation avant même qu'ils n'aient l'occasion de se produire.

« Mais c'est toi qui es la plus sophistiquée, ajoute Laurel, verbalisant sa nervosité. Tu vis à New York. Professeure d'université. Et avec des célébrités de la télévision comme amis. » Elle hoche la tête en direction de Kit, qui discute avec un flot continu de fans. « Tout ce que j'ai fait, c'est être femme au foyer dans un tas de quartiers américains d'autres pays. Ce n'est pas exactement ce qui s'appelle être cosmopolite. »

Laurel a pris du poids. Sa robe d'été est pudique, mais ornée d'une ceinture élastique blanche qui souligne le galbe de sa silhouette stupéfiante. Elle ressemble à Sophia Loren ou à Gina Lollobrigida dans une comédie romantique du début des années 1960. Jesse était loin d'imaginer que Laurel pourrait devenir comme ça. Elle qui était un sac d'os. Au collège, elle devait porter à la fois des lunettes épaisses et un appareil dentaire, et parcourait les couloirs de Kirby (l'école renommée depuis lors en l'honneur de Jesse) courbée sous ce double fardeau. Au lycée, les bagues avaient été enlevées et les lunettes remplacées par des verres de contact qui la faisaient cligner des yeux comme si elle avait un tic. C'est à croire que tout cela – et tous les cardigans ternes et les déjeuners qu'elle apportait et le baby-sitting de ses cinq jeunes frères et sœurs – n'avait été qu'une chrysalide dont Laurel s'était échappée pour s'épanouir et devenir ce papillon resplendissant, l'image idéale d'une femme d'âge moyen de la classe moyenne.

« Mazette, tu as vraiment l'air différente ! » s'exclame Laurel, mais quelque chose dans la façon dont elle le dit laisse à penser que ce n'est pas entièrement un compliment. « Tu sais, ce ne sont pas seulement les cheveux, mais un changement de fond en comble. »

Jesse rit, à défaut de pouvoir trouver une réponse. C'est vrai d'une certaine manière, et elle suppose que les questions que Laurel lui adresse à demi-mot à travers cette déclaration sont celles qu'elle ne peut pas vraiment aborder par cette chaleur, au milieu de cette foule, en cette occasion, tout en tenant un soufflé aux pois qu'elle vient de prendre sur un plateau qui circulait. Alors que Jesse reste silencieuse trop longtemps, Laurel pose la main sur son avant-bras. « Attends, je ne voulais rien dire par là. »

Et puis, avant que Jesse puisse répondre, William est soudainement derrière elle, le ventre pressé légèrement contre le bas de son dos, disant : « Viens voir. » Il n'a aucune notion de la distance de politesse, de l'espace qu'il faut laisser aux gens. Plus c'est proche, mieux c'est. Elle se retourne et le fait avancer.

« Tu te souviens de Laurel ? » lui dit-elle, et il serre la main de Laurel, sans toutefois donner de signe indiquant qu'il sait qui elle est.

« Viens voir, répète-t-il en tirant un peu sur le dos de la chemise de Jesse.

— Je ferais mieux de…, dit Jesse à Laurel.

— Dis, pourquoi ne viendrais-tu pas me voir pendant que tu séjournes ici ? tente celle-ci. Rencontrer Claude et les enfants. On pourrait jouer aux cartes, boire quelques bières.

— Ah… eh bien, je ne suis plus là que deux jours », répond Jesse, avant de se rendre compte qu'elle confirme les pires craintes de Laurel – elle est quelqu'un qui s'est détaché de cet endroit et se croit au-dessus des autres. Laurel se sent snobée. Et ce qui n'est pas du tout ce que souhaite Jesse. Alors, pour mettre un terme à la confusion, elle ajoute : « Mais, bien sûr. Ce serait génial. Et si je t'appelais demain ? Quand tout cela… – elle agite la main pour indiquer la fête – … sera terminé. »

Ce que William veut lui montrer se trouve sur le côté de la maison. Le bouledogue anglais d'Hallie, Sweetie, vient d'avoir une portée de chiots. Willie les a trouvés se tortillant autour de Sweetie dans un tiroir de commode qu'Hallie a placé juste de l'autre côté de la porte de la cave, où il fait assez frais.

« Ça alors ! s'exclame Jesse, avant de s'agenouiller à côté de William. Ils sont si mignons. On dirait des petits vieux. Si ridés et grincheux.

— Beany, indique William en désignant un chiot blanc qui dort en poussant de grands soupirs.

— C'est le plus mignon, pas de doute, déclare Jesse. Tu le veux ? »

William ne répond pas, ce qui ne signifie rien.

« Tu serais d'accord pour venir vivre avec moi un moment ? À New York ?

— Aujourd'hui ?

— Non. À la fin de l'été. Il faut que je nous trouve un bon appartement. Que je peigne ta chambre en bleu. Que je voie si je peux dénicher un lieu qui accepte à la fois les chiens et les frères. »

William a sorti du tiroir le chiot, qui semble dépourvu d'os, et l'a placé sur ses genoux. Cela n'entame en rien son sommeil. Il est maintenant étendu sur la jambe de William, laissant une petite tache de bave sur le tissu chino. L'espace d'une seconde, Jesse imagine le pire. Le chien souffrira d'une maladie extrêmement coûteuse – dysplasie de la hanche ou allergies cutanées – et le programme de jour qu'elle pourra dégoter pour William le laissera végéter, ou l'exploitera en lui faisant emballer des jouets bon marché. Et l'appartement sera à un demi-pâté de maisons des montagnes russes de Coney Island, au-dessus d'une fabrique de barbe à papa. Et, bien sûr, Kit sera partie bien avant qu'ils n'emménagent. Mais ensuite, dans une soudaine poussée d'espoir, assise là, dans l'herbe tondue du jardin d'Hallie, avec la fête en toile de fond joyeuse et la lune visible dans le ciel de midi, emmener William, emmener le chien même, tout lui semble possible, à sa portée.

« Quelle scène idyllique ! » s'exclame quelqu'un en surplomb. Jesse se tourne et cligne des yeux face au soleil. C'est Hallie. Jesse se lève et la serre dans ses bras, et elles se balancent d'une jambe sur l'autre, chacune absorbant la présence de l'autre.

« Ma chérie, tu es devenue si maigre ! » dit Hallie.

Alors qu'elle se recule pour l'inspecter, Jesse peut la sentir soupeser le pantalon en lin noir, le T-shirt blanc, les cheveux, toujours roux – mais pas tant le roux naturel de Jesse que le magenta des cheveux de poupée –, et les petites solaires Lana Turner écaille de tortue qui ne ressemblent à rien de ce qui se porte dans ce jardin.

« Je ne sais pas, déclare Hallie, comme si on l'obligeait à porter un jugement.

— Je vais *bien* », assure Jesse.

Mais Hallie ne le lui accorde pas pour l'instant. « Le fait est qu'il peut être difficile de savoir avec certitude si on va bien, dit-elle. Parfois, on a besoin d'un deuxième avis. »

En reculant un peu, Jesse se rend compte – une prise de conscience qu'elle a dû répéter chacune des rares fois où elle l'a vue ces dernières années – qu'Hallie n'est pas une femme énorme, seulement imposante et plantureuse. Quand elle était enfant, Hallie lui semblait colossale, comme un arbre, quelqu'un contre qui s'appuyer… dans la mesure où s'appuyer était autorisé – par la mère de Jesse et par les conventions tacites d'une petite ville à la fin des années 1950, conventions qui liaient les familles et tenaient les amis à distance, ce qui laissait les portes déverrouillées mais implicitement interdites d'ouverture.

Cela avait été un étrange chassé-croisé – Jesse étant échue à sa mère, qui ne l'avait jamais acceptée, et refusée à Hallie, qui l'avait aimée si férocement depuis le début que, comme elle le lui avait confié une fois, elle avait toujours dû se contenir, de peur de la submerger et de paraître bizarre à tout le monde.

Parfois, Jesse peut presque se persuader que tout a été pour le mieux, que livrée à elle-même Hallie l'aurait pourrie gâtée et transformée en quelqu'un de boudeur, manquant de compétences, se lamentant sur des plans de carrière ratés, sur des marques violettes au poignet où son dernier amant l'aurait serrée trop fort. Quelqu'un comme sa cousine Rosemary. Peut-être que le rejet de sa mère avait aussi été le ciment des fondations de sa personnalité. Peut-être.

Bien que moins spectaculairement que Jesse, Hallie a également changé avec le temps. Ses cheveux, qui ont été pendant des années poivre et sel, figés dans une coiffure fermement gonflée, sont désormais doux et courts, permanentés et teints en brun vison. Ses lunettes ne sont plus du modèle œil-de-chat, mais aviateur, avec des verres teintés. Pour cette journée, elle porte un pantalon jaune pâle et un chemisier manches courtes à fleurs révélant ses bras étrangement musclés, sculptés par des années de travail sur le cuir chevelu de ses clients.

« Alors comme ça, maman va se marier, dit Jesse.

— Eh bien, j'imagine que ça te fait drôle. La voir éprise comme tout. Et ce n'est pas celui auquel on se serait attendu, c'est vrai. Mais ça l'a rendue si merveilleusement gamine. Le docteur Thomas prétend que son arthrite est en rémission. Ne va pas me dire qu'il n'y a pas de rapport. »

Jesse regarde du côté de sa mère, debout près de Darrell. Tous deux discutent avec Evelyn Pond, la jeune nouvelle directrice du lycée. Darrell, elle peut le dire même à cette distance, raconte quelque chose de drôle. Il tient sa cigarette entre le pouce et le majeur, ponctuant délicatement son récit au fur et à mesure.

« Non, répond Jesse d'un air dubitatif, je vois bien que c'est une bonne chose pour elle.

— Je suis sûre que tu vas être gentille, ajoute Hallie en fronçant théâtralement un sourcil.

— Mais oui. Je travaille déjà sur une chanson à leur sujet que je vais chanter à leur mariage. » Elle fait mine de compter les syllabes mentalement, puis s'interrompt pour demander à Hallie : « Tu peux me donner des mots qui riment avec "camping-car" ? »

Une femme corpulente mais légère sur ses pieds, vêtue d'une tunique, s'empresse non loin de là. Son parfum est beaucoup plus musqué que ce que portent la plupart des invitées présentes ce jour-là. Comme presque tous les convives, elle a apporté un plat recouvert d'une feuille d'aluminium. Elle tapote celle-ci du bout du doigt et dit à Hallie : « Ton préféré. Risotto aux cèpes et *prosciutto*.

— Alice, explique Hallie à Jesse, fait évoluer nos papilles gustatives. Ma filleule, Jesse Austin, ajoute-t-elle, achevant les présentations.

— Ah. Je prépare le mariage de ta mère », ajoute ladite Alice, ce qui pousse Jesse à se sentir exclue, exclue d'un événement dont la planification est manifestement déjà bien avancée, alors qu'elle-même n'a fait jusqu'ici que s'en moquer.

William a sorti à présent tous les chiots du tiroir et essaie de les aligner sur la pelouse. Sweetie se réveille fâchée de trouver ses bébés partis. Hallie se baisse et rassemble les chiots autour de leur mère. Elle se redresse en se massant le bas du dos.

« Maman veut que je p-r-e-n-n-e W-i-l-l-i-a-m », épelle Jesse, pour ne pas être comprise de son frère.

Hallie acquiesce. « Ça t'apportera un peu de réconfort familial. Je m'interroge et m'inquiète pour toi. La ville de New York est un terrain si dur pour chercher à s'y enraciner.

— Je ne suis pas seule », assure Jesse, qui ne ressent aucun danger émanant de cette conversation. Hallie a toujours su. Elle a toujours su lire en Jesse sans qu'il soit nécessaire de dire quoi que ce soit pour compliquer les choses entre elles. Jesse se dit que si l'amour était mesurable par une équation tenant compte à la fois du temps et de l'espace occupés dans un cœur, elle aimerait probablement Hallie Butts davantage qu'elle ne pourra jamais aimer quiconque dans cette vie.

Un jour, elles ont fait tirer leurs cartes astrologiques par un homme de Hot Springs, Cecil Luster, qui leur a dit qu'elles étaient toutes les deux de vieilles âmes, qu'elles avaient déjà vécu de nombreuses vies, la première remontant à la Rome antique. Désormais, il ne leur en restait plus beaucoup devant elles. Il n'avait pas souvent vu des âmes aussi vieilles que les leurs. C'était une forme de rareté et cela expliquait, avait-il dit, leur amitié, qui se définissait en partie par une sagesse commune, et par un poids de savoir partagé.

« Viens voir la salle de bains », lui propose à présent Hallie. Bien qu'elle habite une maison dont presque tous les meubles, y compris le fauteuil de massage, proviennent de la collection « Amérique coloniale » du grand magasin Sears, Hallie a utilisé une partie de ses économies issues de la Méthode Harper pour installer un bain romain.

Elle prend Jesse par la main pour traverser la cuisine, où un gâteau, une tarte meringuée aux abricots, le dessert préféré de Jesse quand elle était enfant, trône sur le comptoir.

« Je ne voulais pas que les Huns y arrivent avant toi », avoue Hallie en désignant par la fenêtre ouverte son jardin plein d'invités. Une fois dans la salle de bains, elle allume l'interrupteur d'un geste théâtral et annonce : « *Veni, vidi, vici.* »

Jesse se tient dans l'embrasure de la porte, sidérée, les yeux fixés sur un énorme bassin rond dans lequel descendent des marches flanquées de jarres à anse. Dans les angles, deux nus en albâtre (un homme, une femme, pas de feuilles de vigne), des carreaux de céramique représentant des femmes portant des paniers, des bœufs tirant des charrettes.

« C'est assez incroyable, mais j'aime assez », décrète Jesse à Hallie, et elle ne ment pas tout à fait. Et elle se promet de ne pas sacrifier Hallie en racontant l'anecdote à des amis, une fois de retour à New York.

Quand Jesse sort de la maison, elle constate que certains invités se sont mis à danser dans l'allée goudronnée. Quelqu'un a calé une radiocassette sur une chaise pliante et Whitney Houston s'est jointe à la fête. Même si ce sont les enfants qui ont apporté la musique, ce sont surtout leurs parents qui sont assez ringards pour danser dans une allée au son d'une radio en plein milieu de l'après-midi. Malgré la chaleur, Darrell et la mère de Jesse se sont même avancés sur la piste pour s'adonner à des figures sobres faisant vaguement penser au swing.

Jesse contemple le spectacle un moment, puis s'éloigne soudainement sous l'impulsion d'un sixième sens. Willie aime danser, il estime être un grand danseur. Pourquoi n'est-il pas ici ? Elle oblique brusquement. De retour près de la clôture en bois au bord du terrain d'Hallie, trois lycéens – dont deux sont les petits-fils de Mavis, les garçons Cooney, elle ne reconnaît pas le troisième – encouragent William à faire sauter le pétard qu'ils ont allumé dans sa main.

Jesse avait oublié la méchanceté pure et stupide qui pousse par ici en même temps que les hormones à l'adolescence dans les esprits tournant au ralenti. L'espace d'une seconde accablante, elle se rappelle tous les chats à la queue enflammée et les choses écrasées sur les terrains de jeux, et

Lewis Frey à la fête où il avait pris une gorgée du cocktail Javel que quelqu'un lui avait tendu.

Elle commence à bouger, mais tout, y compris elle-même, se meut au ralenti. Elle crie sans savoir si un son sort de sa bouche et s'élance à travers la foule quand Kit émerge de sa vision périphérique, arrive au bon endroit et attrape le pétard.

Puis il n'y a qu'un bruit terrible.

Et elles sont assises à l'arrière du camping-car de Darrell, qui a préféré se rendre à « Sa Façon » à l'hôpital plutôt que d'attendre l'ambulance. Jesse tient la main droite de Kit à l'intérieur d'une manique remplie de glace pilée – une idée d'Hallie. Allongée sur la couchette du bas, Kit émet de longues exhalaisons rauques. Ses yeux brillent d'une douleur attisée par la panique.

« À deux minutes de l'hôpital », lui annonce Jesse en regardant par l'un des hublots. Encore ébahie, elle se tourne vers elle : « Ils vont te tuer, dans la série. »

Kit hausse les épaules et fait une grimace que Jesse perçoit comme un sourire tamisé par la souffrance. Kit vit selon un code de conduite intransigeant lui interdisant de faire quoi que ce soit qui puisse changer l'apparence de Rhonda. Elle ne peut pas prendre quelques kilos sans se faire rappeler à l'ordre, ni changer de nuance de blond sans qu'une conférence en ait décidé ainsi. Si quelqu'un est partant pour faire du patin à glace ou monter dans le grand huit d'un parc d'attractions, Kit a des façons élégantes d'y couper. Elle ne prend aucun risque, et n'en a pris aucun depuis si longtemps qu'elle est à l'abri de tout geste impétueux. Aussi Jesse est-elle sûre qu'elle a agi en tenant compte de toutes les conséquences. Cette idée est à la fois exaltante et troublante. Cela signifie que Kit est quelqu'un de tout à fait différent de ce que Jesse a pu imaginer jusqu'ici.

Le docteur Thomas dit que sa main finira par récupérer. Il a fait appel à un spécialiste de Jefferson City qui a recousu les deux bouts de doigt arrachés. La paume est brûlée, et Rhonda devra s'efforcer d'être aguicheuse et séduisante tout en portant un gros bandage pendant un certain temps, mais, au bout du compte, elle devrait recouvrer son ancien moi équipé de dix doigts. Pour le moment, toutefois, elle est engourdie et tranquillement installée dans une petite chambre qui surplombe le parking de l'hôpital.

« Mon héroïne, dit Jesse en lui tenant l'autre main.

— Sommeil », murmure Kit, avant de s'assoupir comme un nourrisson.

Jesse reste assise en silence, puis Hallie entre et s'installe lourdement dans l'autre chaise avant de sortir une chaussette à motifs compliqués de losanges qu'elle est en train de tricoter. Au début, Jesse s'attend à ce qu'elle prononce des paroles profondes et graves, un aphorisme apaisant peut-être. Hallie patiente un instant, puis fait un geste en direction de Kit avec son tricot. « Quelle frimeuse. »

Les yeux de Jesse s'écarquillent, s'emplissent de larmes, puis elle se met à rire, d'un rire incontrôlable qui la secoue tout entière. Hallie n'esquisse pas même un sourire ; elle est aussi impassible que Groucho Marx.

Kit se réveille brièvement. « Qu'est-ce qu'il y a de si drôle ? »

Jesse se penche vers elle et repousse d'une caresse ses cheveux, puis regarde Hallie et lui demande : « Peux-tu donner à Kit un peu plus d'éléments de couleur locale ? Elle pense que New Jerusalem est un endroit délicieux. Tu sais. Elle adore la braderie *Frock Shop*, la *Dînette de midi.* »

Jesse sent bien que cette demande place Hallie face à un léger dilemme : elle déteste être considérée comme pittoresque ; elle vante toujours les changements récents qui sont survenus à New Jerusalem. Le centre commercial des Trois Chênes. Les tours Paddock en construction au centre-ville. Le nouveau restaurant branché d'Alice, peu importe son nom. Même les chaînes de magasins, qui lui donnent l'impression que la ville n'a pas été laissée de côté.

Mais ce n'est pas le genre de choses que Kit veut entendre. Ses yeux brillent de satisfaction anticipée à travers un voile de médicaments. Elle veut du pittoresque, et parce que Jesse veut que Kit soit heureuse, et parce que Hallie veut que Jesse obtienne tout ce qu'elle désire, elle pose sa chaussette et ses aiguilles sur ses genoux et dit à Kit : « Peut-être que ta petite amie a négligé de te montrer la *Cabane à boutons de Betty* ? »

Alors qu'elle sourit, les yeux de Kit papillotent un moment, puis se ferment.

Hallie soupire et se réinstalle dans le fauteuil en regardant autour d'elle. « La dernière fois que toi et moi avons été ensemble dans cet endroit minable, c'était quand on t'a enlevé ces points de suture. » Elle tend la main vers Jesse, qui se tient au-dessus du lit, et suit d'un doigt la cicatrice à angle droit le long de sa mâchoire.

Jesse y met sa main. « Ça ? Je ne me rappelle même pas comment c'est arrivé.

— Je ne sais pas comment tu as pu oublier ça. Je m'en souviens comme si c'était hier. Nous étions allés nager au Country Club, ta mère, moi, toi et Willie. Vous n'aviez que sept ou huit ans. Tu n'étais pas encore nageuse, juste une enfant qui s'amusait dans la piscine. Il était tard dans l'après-midi.

« Ta mère et moi bronzions sur des chaises longues côte à côte. Elle était en train de m'utiliser comme coupe-vent pour allumer une clope. J'ai levé les yeux et je t'ai vue. Tu t'étais élancée dans les airs au-dessus du vieux plongeoir pour faire un saut carpé, mais tu n'as pas été assez rapide, ou tu n'avais pas plongé assez loin, je ne sais pas. En redescendant, tu as heurté le bord du plongeoir. Tu as disparu dans l'eau en laissant derrière toi une petite traînée nuageuse rouge.

« Je suis juste devenue folle, je crois. J'ai sauté – j'ai oublié d'un seul coup mes kilos en trop et ma veste de plage en éponge, et le fait que je ne savais pas nager. J'étais dans l'eau avant même que le maître-nageur ne quitte son perchoir. Je t'ai sortie de là et portée jusqu'au siège arrière de ma voiture.

— Cette voiture bicolore, crème et…

— Brun, oui, en effet. Donc tu n'as pas oublié, finalement. Nous sommes allées au bureau de Doc Wemby, tu t'en souviens ? Il t'a recousue pendant que je tenais ta main qui, je me le rappelle, était très chaude, tandis que toi – tu étais toujours une petite chose si robuste – tu regardais simplement droit devant toi. »

Certains moments sont sursaturés, ils concentrent tellement plus que l'infime fraction de temps qu'ils représentent. Comment peut-on conserver ce genre de souvenir d'une personne, se demande Jesse, et en même temps s'efforcer de paraître contente quand elle vient vous rendre visite quelques jours à peine à des années d'intervalle ?

« Sommes-nous vraiment allées au bureau de Doc ? veut savoir Jesse. Ce dont je me souviens, c'est d'être allée chez toi et il était là. Peut-être que c'était un dimanche et qu'il n'était pas à son bureau ? Je le revois poser mes points de suture sur le vieux canapé géant que tu avais. Je regardais la télévision. Un dessin animé avec des souris qui chantaient.

— Je croyais que tu ne t'en souvenais pas du tout, réplique Hallie.

— C'est bien le cas. Mais la partie sur les points de suture et les souris qui chantent vient juste de me revenir. »

Hallie semble sur le point de dire quelque chose, puis se baisse et tire une longueur de fil rouge foncé. Elle surprend Jesse en train de fixer les chaussettes noueuses et de réprimer un sourire, et dit : « Sois gentille avec moi, sinon je te les offrirai à Noël. »

Elles restent assises en silence un moment, puis Hallie descend dans le hall, « pour s'en griller une ». Après son départ, Jesse contemple Kit, qui, endormie et pansée, et ainsi doublement vulnérable, suscite en elle une constellation d'émotions difficiles à démêler. Elle se penche pour embrasser son amante, qui sort juste assez du sommeil pour lui rendre vaguement son baiser. C'est un baiser maladroit, embarrassé et entièrement privé qui, Jesse le constate en jetant un regard vers la porte, a été vu par Laurel Owen, laquelle, un bouquet de fleurs de son jardin à la main, est manifestement déconcertée.

« C'était tellement horrible ! s'exclame Laurel, tâchant de reprendre ses esprits tout en tendant les fleurs à Jesse. L'accident, je veux dire. Je pensais que je... »

Jesse se lève pour l'accueillir, et elles échangent diverses questions et réponses relatives aux points de suture, à la main de Kit et au pronostic des médecins ; cependant, Jesse peut constater que Laurel ne s'en remet pas. Debout sur le pas de la porte, elle vient de recevoir trop d'informations d'un coup. Il n'y a pas moyen pour Jesse de revenir en arrière et de combler les lacunes selon une progression ordonnée. Laurel a déjà durci de l'intérieur, elle le sent. Elle saisira le premier prétexte pour partir, rentrer chez elle et tout raconter à son mari et aux deux sœurs dont elle est proche, mais sans doute pas (après un bref débat intérieur) à sa mère.

Parfois, ce type de réaction arrive encore. En raison de la vie que mène Jesse et du territoire tolérant où elle réside, elle ne s'y heurte presque plus. Quand cela se produit, c'est toujours de manière surprenante, là où elle ne s'y attendait pas. Une femme de ménage donnant brusquement sa démission dans une rafale d'espagnol dont le sens échappe à Jesse, mais pas le message. Le nouveau professeur de poésie avec qui elle devait aller dîner pour « réseauter » et qui, quelques jours plus tard, appelle pour annuler en invoquant une excuse aussi bizarre que révélatrice.

Si espacés soient-ils, ces incidents la contrarient toujours, la désolent pour elle-même, puis pour la personne emprisonnée par ses préjugés, et enfin pour le monde entier, pour la planète aveuglée. À présent, cependant, elle en est seulement à regretter qu'elle et Laurel ne puissent pas renouer et retrouver un peu de leur vieille camaraderie de livres de coloriages.

Laurel est partie depuis longtemps lorsque Hallie revient. Jesse réfléchit et s'étire, les mains pressées contre le cadre de la fenêtre.

« Va prendre l'air un moment, lui propose Hallie. Je vais te remplacer un peu.

— Mais…

— Va nager. »

Jesse quitte l'hôpital à pied et marche jusqu'à la maison de sa mère, où elle enfile un short de gym et prend un maillot de bain. Elle se dirige ensuite vers le tronçon de trois pâtés de maisons qui constitue le centre-ville de New Jerusalem. Elle passe devant la porte tournante en bronze du Fricke Building, où Hallie a son salon de Méthode Harper, puis s'arrête plus loin devant la pharmacie. La vieille enseigne au néon indique toujours *Austin Drugs*, même si cela fait plus de vingt ans que son père n'en est plus propriétaire.

Elle se presse contre la porte vitrée. Une fois à l'intérieur, elle est instantanément submergée par l'odeur du lieu. C'est exactement la même odeur que l'été où elle avait travaillé ici, à l'âge de seize ans. L'été avant que tout ne change.

Sitôt son entraînement de natation terminé, Jesse devait venir directement ici. Son père pensait que les emplois à temps partiel forgeaient le caractère. Il croyait dur comme fer à l'école de la vie.

Jesse est surprise de constater que le distributeur de sodas est toujours là. Une femme plus âgée – elle pense que ce pourrait être Louise Gates, qui était ouvreuse au cinéma *Vogue* – prend sur le comptoir un Coca et un croque-monsieur servi avec quelques chips et deux tranches de cornichon à l'aneth au bord de l'assiette. Jesse ne reconnaît pas la serveuse, une fille à l'air sérieux.

Jesse se souvient qu'elle se tenait exactement là où la fille se trouve à présent, en train de verser du sirop de cerise dans le fond d'un verre à Coca, quand la voix de son père retentissait à l'arrière du magasin. Il ajustait un bandage herniaire sur un vieil homme. Ou donnait des instructions sur la façon d'appliquer de la pommade extractrice sur un furoncle. Louait l'importance des fibres dans la lutte contre la constipation. Lui faisait tellement honte que le dessus de ses oreilles s'échauffait et virait au rouge. Elle fermait les yeux et souhaitait qu'il se taise. Et puis il était mort, soudainement, terriblement – embarrassant jusque dans la mort –, se ratatinant dans son tuba lors du défilé du 4 Juillet. S'effondrant sur l'asphalte de Sycamore Street, laissant à Jesse un fatras de sentiments dont elle n'avait jamais été capable de faire un paquet proprement ficelé.

Elle détient les clés plaquées or de ses deux piscines d'entraînement, celle du Country Club et celle du lycée. Toutes deux lui ont été remises après son défilé. « Merci, monsieur Masso », avait-elle dit à Louis Masso, alors maire. Ce dernier est décédé depuis des années. Il s'est suicidé le jour où il a découvert qu'il avait un cancer des os. Mais, à l'été 1968, il était toujours en vie et extrêmement gros, et pour Jesse, dix-sept ans, c'était le grand jour, elle absorbait la lumière des projecteurs comme le soleil de l'après-midi. Elle avait lu le discours humide, griffonné sur le papier qu'elle tenait à la main.

« J'accepte cette clé de la piscine du lycée James Monroe avec une profonde gratitude et le sentiment de la pertinence du cadeau qui m'est fait. Personne dans l'histoire de cette piscine n'y a probablement passé autant d'heures que moi. Comme l'entraîneur Trembley me l'a dit un jour à la fin d'un très long entraînement [se tourner vers Coach T.], "Jesse, je crois bien que tu as lessivé cette eau" [attendre un rire possible]. »

Elle conserve les clés en or dans son trousseau en guise de porte-bonheur. Aujourd'hui, à l'intérieur de l'école, dans les couloirs sombres, elle ne se rappelle plus où se trouve l'interrupteur. Elle pousse la porte indiquant VESTIAIRES DAMES et s'avance entre les rangées d'armoires beiges. Elle est déjà revenue ici ces dernières années, ce qu'elle ressent n'est donc pas une pure émanation du passé. Cela ressemble davantage à une vieille chanson diffusée assez souvent à la radio pour qu'elle commence à avoir sa vie propre, déconnectée de la mémoire personnelle.

Jesse s'était lancée dans la natation par opportunité plutôt que par intérêt. Ce n'était qu'une des options du programme d'éducation physique obligatoire. En sixième, le choix portait entre la natation et la gymnastique. Elle détestait l'idée de grimper à la corde et de sauter par-dessus des chevaux immobiles, elle avait donc pris la natation, même s'il fallait se mouiller les cheveux. Qu'elle se soit révélée douée l'avait surprise autant que n'importe qui d'autre.

Elle avait reçu peu d'encouragements de sa mère, qui trouvait tous les sports ridicules. Quant à l'intérêt de son père, elle l'avait écarté très tôt quand il était arrivé avec des livres anciens portant sur les techniques de natation, ainsi qu'un bonnet en caoutchouc de forme absurde qu'il avait commandé pour elle dans les catalogues de la Méthode Harper, un truc de couleur chair censé protéger le cuir chevelu des dangers du chlore. Elle devait l'éloigner de cette partie de sa vie, sinon il la prendrait en charge, la ferait vaciller.

Même si ç'avait été un soulagement d'être impliquée dans une activité qui n'était pas centrée sur Willie, Jesse savait qu'elle ne pourrait pas nager toute seule. Au-delà d'un certain niveau, elle ne trouverait plus personne dans le coin pour la coacher. Elle devait rencontrer quelqu'un de l'université d'État, ou mieux encore, de l'un des camps d'entraînement ou des grandes écoles de natation de Floride ou de Californie. Mais cela coûterait de l'argent, qui manquait dans la famille d'une professeure d'anglais en lycée et du pharmacien d'une petite ville ayant à charge un enfant trisomique inscrit dans des écoles et des programmes spécialisés.

Et puis, sans qu'on s'y attende, Doc Wemby s'était manifesté avec des chèques continus et généreux. Elle s'était toujours émerveillée qu'il ait fait cela, alors qu'il avait cinq enfants, dont Keith, le garçon coréen que sa femme et lui avaient adopté. C'était étrange à quel point Doc aimait la natation.

Jesse suspend son pantalon et son T-shirt aux crochets à demi cassés à l'intérieur du casier et enfile un maillot de compétition tellement rongé par le chlore que seules ses coutures sont encore vaguement bleues. C'est un modèle Bellini Jesse Austin. Elle en a encore une boîte pleine dans son placard, un cadeau de l'entreprise.

Elle pense à Tom Bellini et à sa propre tournée de promotion de ce costume de bain – saluant les filles dans les rayons de maillots, prononçant son discours (« Ouvre une nouvelle fenêtre ») dans les auditoriums du lycée, se soustrayant aux avances de Tom dans les hôtels, écrivant des lettres à Marty en Australie, résolument légères dans le ton, désespérées dans le contenu. La tournée s'était terminée à New York, tellement semblable à l'endroit où elle devrait vivre qu'elle s'y était tout de suite sentie chez elle. Il ne serait pas nécessaire de continuer, de retourner à New Jerusalem. Elle avait donc vécu pendant un certain temps grâce à l'argent de la tournée et au remboursement de son billet d'avion de retour, réclamant au Comité olympique de faire pression sur l'université Columbia afin qu'elle obtienne une bourse.

Elle attrape sa serviette, claque la porte du casier et se dirige vers la porte d'accès au bassin.

Cette piscine est indissociable du passé de Jesse. Elle est, bien sûr, le théâtre de quantité d'entraînements universitaires, de cours de sauvetage et de plongée, et d'aquagym le week-end. Et le samedi soir, selon une tradition secrète transmise au fil des ans, des couples de lycéens s'y introduisent parfois pour plonger nus du balcon. Mais, à côté de cela, la piscine renferme aussi une grande partie de l'identité de Jesse du fait même qu'elle s'y est entraînée. Une plaque est là pour le rappeler, même si cela ne dit pas tout.

Pourtant, au moment où elle y pénètre, tous ces repères s'estompent pour laisser place à quelque chose de plus vaste. Ce sont toutes les piscines, partout, qui lui font signe. *Psst.* L'air altéré par l'effort et le chlore, les sons aiguisés par l'acoustique réverbérante. Les bruits de pas claquent, les bonnets en caoutchouc se mettent en place dans une détonation de pistolet, les corps plats explosent contre l'eau plate.

Jesse monte sur le plot de départ de la ligne médiane, pousse la plante de ses pieds dans le revêtement de papier de verre, lèche l'intérieur de ses lunettes et les enfile, puis se réfugie quelque part dans la rêverie où, si toutes les conditions sont bonnes, elle peut – un instant – tout ressentir à nouveau.

Elle plonge. Les bras jetés devant elle, franchissant les trois premiers mètres dans les airs avant de s'abattre à la surface de l'eau. De là, elle passe à des coups de bras en S, d'abord la main devant la tête, puis sur le côté avant de revenir près de la hanche. Mécanique des fluides. Le but étant de pousser contre de l'eau immobile plutôt que déjà en mouvement.

Au bout du bassin, elle exécute un virage culbute et revient. Lorsque sa main frappe le mur, elle a la sensation d'avoir fait un bon temps, mais ce n'est pas le cas. Elle ne le saura pas avec certitude : elle ne se chronomètre plus jamais. Elle refuse de passer le reste de sa vie à faire la course contre quelqu'un qu'elle n'a plus besoin d'être. Ou contre une Marty Finch qui n'est pas disponible pour la revanche, encore et toujours inaccessible à l'horizon. Âgée de dix-huit ans pour l'éternité, riant sauvagement, ivre de l'oxygène de sa propre destinée.

Elle se demande dans quelle mesure ses voyages dans les allées souterraines de son inconscient ont poursuivi une fille qui a cessé d'exister de la manière précise dont Jesse se souvient d'elle, le lendemain du jour où elle l'a vue pour la dernière fois, à l'aéroport, avec des baisers volés dans les toilettes des dames, puis des cajoleries de cousines au terminal, des promesses chuchotées d'une haleine chaude. Des lettres – elles allaient s'en écrire des tonnes. « Je vais décoller les timbres et les mettre dans ma bouche, avait dit Marty. Pour retrouver ton goût. »

Elles allaient se revoir. Qu'est-ce que deux hémisphères représentaient pour elles ? C'était juste le commencement de leur relation.

En réalité, bien sûr, c'était tout simplement la fin. La dernière fois que Jesse avait vu Marty Finch, c'était ce matin-là à l'aéroport, juste avant qu'elles ne se précipitent vers leurs portes d'embarquement aux extrémités opposées du terminal, afin de monter dans des avions en partance pour des destinations aux antipodes. Jesse avait écrit, Marty non. Pas même une lettre nerveuse où elle aurait prétendu avoir tout oublié, et où elle aurait révisé leur brève histoire pour en faire une amitié passagère. Rien. C'était comme si un mur s'était dressé entre elles au milieu de l'océan, une grande barrière de corail maintenant leurs vies séparées, sans contact. C'est la partie que Jesse ne supporte pas de revisiter, la partie dénuée de la moindre couleur.

Elle retraverse la ville pour se rendre à l'hôpital. Hallie est toujours là. Ainsi que la mère de Jesse, qui a amené William. Ils ont également apporté à Kit un sachet de Burger King.

« J'étais ici pour mes problèmes féminins, explique Frances. Je sais à quel point la nourriture est mauvaise. Je vomissais rien qu'en entendant le chariot cliqueter dans le couloir. »

Tout est sens dessus dessous. Kit est désormais la personne la plus merveilleuse du monde. Et elle a été blessée. Elle a pu voir le pire côté de cet endroit. Des rectifications vont devoir être apportées à ce tableau.

William est tranquillement assis dans un fauteuil en vinyle vert dans un coin. Personne ne sait s'il comprend ou non ce qui s'est passé.

Le lendemain, une fois Kit sortie de l'hôpital, Darrell l'emmène avec Jesse dans les collines, où il connaît des femmes qui fabriquent des courtepointes en patchwork. Il marchande un bon prix pour celle que Kit veut acheter, couleur maïs et bleu Wedgwood avec des chiens violets dans des diagonales de carrés. Pendant tout ce temps, Kit se montre attentive et reconnaissante – un peu dans la ouate du Percocet, aussi.

« Ils te feront un bandage sexy dans la série, lui assure Jesse sur le chemin du retour en ville. Tout ira bien. »

Kit hoche la tête, mais Jesse ne la sent pas convaincue.

Frances Austin se tient dans l'allée le mercredi matin, alors que Jesse et Kit prennent la route avec un affreux retard, après être revenues trois ou quatre fois dans la maison pour prendre des affaires qu'elles avaient oubliées. Lorsqu'elles s'en vont finalement, la mère de Jesse et Kit se font des signes, tandis que Jesse au volant agite la main, jusqu'à ce qu'elles tournent au coin de la rue. Elles quittent la ville par un chemin de traverse. Kit veut un itinéraire pittoresque.

Sur l'autoroute, les hautes herbes scintillent de chaleur tandis que les deux femmes sont enveloppées dans la climatisation. Elles dépassent le grand panneau d'affichage des Cavernes de Pratt. Kit veut savoir si ça vaut le coup de s'y arrêter. Jesse secoue la tête. « C'est juste un vieux spectacle ringard. Vraiment. »

« Dernière chance », annonce Kit en désignant le panneau DERNIÈRE CHANCE ! de la grotte, avec une représentation en silhouette de son xylophone de stalactites.

Quelques heures plus tard, aux alentours de Dayton, elles approchent de l'intersection des autoroutes 70 et 75. Un panneau vert aux coins arrondis indique :

DEUX VOIES DE GAUCHE – NEW YORK
DEUX VOIES DE DROITE – FLORIDE

« Nous pourrions prendre la mauvaise sortie, suggère Kit. Je n'aurais pas à affronter Decker ni mon agent. Tout le monde va être doux comme un agneau pendant dix secondes, ensuite ils me tueront. C'est sympa la Floride, non ? On pourrait ouvrir un stand. Vendre des jus d'orange et des milk-shakes à la noix de coco.

— Le hic, annonce Jesse, alors que le panneau bascule dans un passé immédiatement oublié, c'est que ma mère a besoin que je… que nous prenions William pendant un moment. »

Elle retient son souffle, écoutant le léger cliquetis du moteur désaccordé de la voiture de location, redoutant la réponse de Kit. Mais il ne s'écoule que quelques secondes de silence avant qu'elle dise : « Pas de problème. »

Et puis : « On peut s'arrêter ce soir à ce motel que nous avons vu à l'aller, celui dont l'architecture imite celle d'une prison ? »

En eaux troubles

Juillet 1990, Venus Beach, Floride

Ils sont assis dans le parking derrière le poste de police de Venus Beach. Même si l'orage menace, roulant au-dessus de l'océan, Jesse déverrouille et rabat le toit de l'ancienne Cadillac Eldorado bleu argenté, baptisée « El Dog ». Elle a besoin d'air. Elle se sent au bord de la combustion spontanée, sa réaction de base face à Anthony.

Lui est assis dans l'autre large siège baquet, avec sa mine « pas de problème ». Jesse sait que cette posture est une défense pour masquer un torrent de nervosité, de peur et de doute de soi. Elle a lu d'innombrables bouquins sur les interactions avec un adolescent difficile et sait qu'il est dans une phase critique où elle devrait l'aider, dire quelque chose de maternel et d'encourageant. Le mieux qu'elle puisse trouver, toutefois, est : « Tu as vraiment merdé cette fois. »

Il tend sa main valide pour allumer la radio. Le trio Wilson Phillips les rejoint depuis le tableau de bord. Ces filles ont des problèmes bien à elles. Elles s'expriment dans une parfaite harmonie pour implorer quelqu'un – *baby, baby* – de les libérer.

Jesse mène deux conversations en parallèle avec Anthony. L'une comporte toutes les réponses ironiques mais gentilles qu'elle aimerait prononcer. (L'actrice Sally Field pourrait jouer son rôle dans la version cinématographique réconfortante de sa relation avec Anthony.) L'autre englobe tout ce qui sort de sa bouche chaque fois qu'elle est effectivement confrontée à l'énorme stupidité de la vie de son fils et à sa posture étudiée de détachement.

Hier soir, il s'est fait prendre en train d'exfiltrer la chaîne stéréo d'une BMW garée derrière le restaurant *Harbour View*. Les flics ont débarqué, tous phares éteints. Anthony a paniqué et s'est déchiré la main sur les dents de la cavité qu'il venait de creuser dans le tableau de bord. Il a passé des heures à l'hôpital d'Orange Grove, puis en garde à vue, et enfin en détention dans la cellule du poste de Venus Beach, jusqu'à ce que Jesse puisse se rendre à la banque et verser sa caution. À présent, il scrute son bandage, appuyant là où une tache rouge aqueuse est apparue.

Quand Anthony était petit, Jesse l'emmenait à la plage en compagnie d'autres jeunes mères et se demandait si toutes lui enviaient son fils. Il était si plein de surprises ! Il dessinait aux crayons de couleur les êtres qui peuplaient son imagination – un homme fait d'eau, un animal familier si poilu qu'il pouvait garder au chaud un garçon une nuit entière, même dans la plus froide de ces contrées sauvages. Il jouait des mélodies sur un harmonica dégoté dans un troc de cour de récréation. Plus grand, il effectuait des spectacles de magie avec des tours compliqués, des écharpes extraites d'un poing fermé, des pièces de monnaie prélevées derrière l'oreille, quoique seulement au terme d'efforts à fendre le cœur.

Et puis, quelque part en cours de route, il était passé des surprises aux secrets, avait commencé à devenir cette personne résolument inconnaissable. Ce qui exaspère Jesse. Assise en silence à côté de lui, elle voudrait l'ouvrir en deux et se faufiler à l'intérieur, découvrir qui peut bien être là-dedans.

Il soulève le bandage, jette un coup d'œil dessous. Il surprend son regard et hausse les épaules. « Si tu vas par là, tout le monde est taré. »

Il se tient assis aussi loin d'elle que possible, adossé à la portière, avec l'air d'avoir onze ans plutôt que dix-neuf. Il appuie sur deux boutons de la radiocassette et la station Top 40 de Jesse laisse place à une musique d'ambiance.

Jesse pense qu'il plaisante. « On se croirait dans un ascenseur, sauf qu'on se déplace à l'horizontale, commente-t-elle.

— C'est une très bonne station », rétorque Anthony. Il défendra bec et ongles tout ce que Jesse attaquera. C'est un pur réflexe désormais.

Puis, sans crier gare, les essuie-glaces se mettent en route – ils l'ont fait assez souvent ces derniers temps –, avant de s'arrêter à nouveau, spontanément. Pas de quoi amener la voiture au garage. Si Jesse est à un feu rouge et que quelqu'un la regarde, elle se contente d'actionner le lave-glace afin de donner l'impression qu'elle nettoie le pare-brise. Anthony monte un peu le volume de la radio pour couvrir le couinement des lames en caoutchouc. Il regarde la plage. Jesse jette un coup d'œil et constate qu'elle est déserte à cause de l'orage qui approche. Une large colonie de goélands se tient sur un banc de sable, totalement immobile et tournée vers la mer.

La station d'Anthony joue à présent une version instrumentale d'« Hotel California ».

« J'ai rencontré quelques types intéressants là-bas, dit-il.

— C'est précisément pour cette raison qu'il faut toujours essayer d'entrer dans les meilleures prisons. Pour nouer des contacts professionnels de qualité. »

Elle ignore comment tout cela arrive. Elle reste assise, une expression vide sur les traits, déterminée à demeurer impassible si Anthony profère des paroles stupides. Puis, Anthony lâche effectivement quelque chose de stupide, et un interrupteur est actionné en elle ; la voici soudain animatrice de talk-show face à un invité un peu niais, rebondissant sur tout ce qu'il vient de dire, roulant les yeux innocemment et prononçant des phrases qui excitent le public, puis retirant ses lunettes pour essuyer ses larmes de rire. Mais il n'y a pas de public dans la voiture. Juste Anthony, disparaissant en lui-même, comme il le fait toujours quand il est réduit au rôle de faire-valoir, et Jesse court-circuitant une fois de plus la connexion qu'elle recherche désespérément.

Elle change de cap, tente de revenir à un quotidien plus gérable. « Tu veux rentrer à la maison ? Passer une nuit ou deux avec Sharon et moi ? On peut faire des sandwichs au bacon. Jouer à Risk.

— Oh », fait-il, puis il s'arrête si longtemps que Jesse pense que c'est tout ce qu'il va dire. Enfin, il ajoute : « Je pense que Lynette doit m'attendre. »

Bien qu'un ciel épais ait retenu la pluie pendant la majeure partie de l'après-midi, finalement celle-ci arrive, à petites gouttes. Jesse regarde Anthony pour voir s'il veut refermer la capote, mais il secoue la tête. « Je ne vais pas fondre. » Et c'est ainsi qu'ils font le reste du chemin – décapotés, essuie-glaces battants –, un véritable objet de curiosité pour les automobilistes qui les croisent.

Anthony vit avec Lynette dans un mobil-home, près de l'ancienne réserve séminole, depuis environ un an. Ils se sont rencontrés à *Long John Silver's*, la chaîne de restaurants où elle travaille comme directrice adjointe et lui comme caissier.

Lynette a des chiens, deux, une variété particulière de caniche. Elle et Anthony possèdent un break cabossé, équipé à l'arrière de cages de transport métalliques. Ils font le tour de la Floride, poussant parfois jusqu'en Géorgie ou en Alabama à l'occasion d'un long week-end, pour des spectacles où ces chiens gagnent des rubans. Ils séjournent dans des motels qui, étonnamment, accueillent des centaines de ces équipes humano-canines. Il existe une sorte de vie sociale autour de tout ça, qu'Anthony trouve amusante. Évidemment, une grande partie de ce qui en constitue à ses yeux l'amusement implique la consommation de drogues à la mode et de sangria en bouteille.

Il y a quelques mois, alors qu'il vivait avec Lynette depuis un certain temps, Jesse avait débarrassé le vieux placard d'Anthony. Sur une étagère haute, elle avait découvert une rangée de livres de poche. Elle pensait qu'il ne les avait jamais lus. Mais ces volumes étaient gonflés, mous et gras d'avoir été manipulés. Des romans. Ils appartenaient tous à la même série : « Aventures à la baie de Whitefish ». Les couvertures étaient des illustrations pompeuses et clichées du contenu, un monde peuplé de gars durs, prêts à tout. Des bûcherons, des pêcheurs et des mineurs, des types qui « abattent les grands arbres, ramènent les gros poissons et cherchent le gros or ». Des gars prénommés Clint, et Buck, et Thor. Ils peuvent « régler des comptes avec leurs poings », mais sont toujours prêts à venir en aide à un copain, même « au péril de leur vie ». Le soir, ils rentrent chez leurs copines esquimaudes, des femmes dévouées qui leur préparent de copieux repas composés de steaks d'élan et de purée de pommes de terre.

Depuis qu'elle était tombée sur ces livres, les inquiétudes de Jesse s'étaient atténuées. Pendant des années, elle s'était imaginé que la forteresse d'Anthony cachait quelque chose d'angoissant et de dangereux. Désormais, elle pense que la vérité est plus probablement la suivante : la vie intérieure de son fils est certes complexe et colorée, mais elle est surtout complexe, colorée et banale. Un péplum biblique, un diaporama View-Master[1].

Cela lui ôte toute raison d'agir. Elle ne peut pas passer au plan B. Elle ne peut pas envoyer de déprogrammeurs si Anthony n'est pas programmé, s'il ne fait que s'éloigner d'elle, sans aucune destination en particulier. Quand elle essaie de l'atteindre, de le ramener, tout est lisse et plat. Elle ne trouve nulle part où s'accrocher. Sauf lors de ces missions de sauvetage, lorsque le téléphone sonne au milieu de la nuit après qu'il a été pincé – défoncé et généralement dans des circonstances remarquables. En train de construire une pyramide d'oranges géante à partir de fruits qu'il a fait tomber des arbres dans la plantation de quelqu'un. Ou de sprayer des graffitis sur les deux bus qui composent le système de transport en commun de Venus Beach.

C'est désormais leurs seuls moments ensemble. Affaibli, dérouté et plein de vagues regrets, Anthony laisse généralement Jesse le ramener à la maison. Elle ouvre la douche à fond et soutient son corps décharné et abîmé sous le jet,

1. Marque déposée d'un jouet populaire des années 1950 à 1980 permettant de visionner en 3D des dispositives contenues sur des disques en carton.

aussi froid qu'on peut faire couler l'eau ici. Elle laisse son amour pour lui s'exprimer alors qu'il ne peut pas le remarquer. Puis, quand il a refait surface, elle sort des serviettes et lui parle inutilement de se lancer dans un travail ou des études qui ne le mettront pas dans un état pareil. Informatique ou coiffure. Elle ne fait que tâtonner. Elle n'a vraiment aucune idée de ce que pourraient être les bonnes réponses dans le cas d'Anthony.

Étrangement, cet incident, un crime avéré, semble presque être le signe d'une amélioration. Il existe un intérêt évident à piquer une radio. Elle peut se dire, ou dire à Elaine Kurczak devant un café : « Mon fils est un criminel, Anthony est tombé dans le milieu du crime. » Il s'agit d'un problème définissable. Jusque-là, les ennuis dans lesquels il s'est mis restaient vagues – des actes ridicules que personne ne peut comprendre.

Avec un vrai problème, néanmoins, il est hors d'atteinte des tentatives de sauvetage de Jesse. Cette fois, l'amour ne suffira pas ; l'argent sera nécessaire. Anthony a utilisé son premier appel pour téléphoner à son père, l'ex-mari de Jesse, Tom Bellini, qui va descendre de New York. Super Souris pour redresser la situation. Cela déprime Jesse presque autant que les problèmes d'Anthony.

La pluie commence à tomber vraiment fort alors qu'ils entrent dans le parc de mobil-homes. Elle s'arrête à côté de sa caravane, sous l'auvent en tôle d'aluminium. Anthony l'aide à remonter la capote de la voiture, puis lui demande si elle veut entrer se sécher. « Nous avons une serviette », dit-il en ouvrant la porte moustiquaire, repoussant du genou les chiens surexcités de le voir.

À l'intérieur, la télé est allumée, mais entre deux chaînes. Lynette est là, mais pas vraiment disponible pour une visite. Elle est agenouillée sur le sol à côté du lit escamotable, à plat ventre sur le matelas. Il existe beaucoup de zones d'ombre dans leur mode de vie. Jesse a découvert qu'il était généralement préférable d'appeler avant de passer.

« Je suppose qu'elle fait la sieste », dit Anthony maladroitement, et il se laisse tomber sur le sol à côté d'elle, lissant ses cheveux ébouriffés de sa main bandée. Elle ne bouge pas. Au repos, Lynette a l'air – et Jesse s'étonne de ne pas l'avoir remarqué plus tôt – incroyablement esquimaude.

Le crépuscule est tombé quand El Dog – dont les essuie-glaces s'activent bien que l'orage soit passé depuis longtemps, le siège arrière chargé de bidons en plastique de traitement au chlore, et une contravention pour excès de vitesse toute fraîche coincée dans le pare-soleil – franchit le portail rose et vert de l'Académie de natation Bud Barris. C'est un petit complexe aux murs en stuc entourant la piscine, avec deux vestiaires-douches, un bureau et, relié à l'arrière par un passage couvert, un bungalow de trois chambres où Jesse vit, désormais seule avec sa fille, Sharon.

Lorsque Jesse et Tom ont acheté cette école (construite dans les années 1940 par Barris lui-même, le grand nageur de dos crawlé), elle avait fait l'objet de quelques rénovations sommaires, puis était restée à l'abandon pendant des années. L'entrepreneur avait suggéré de changer le nom et d'abattre le portail de style hollywoodien ringard, une boutade de plus dans ce paysage comique composé de terrains de golf miniatures, de pistes de karting bourdonnantes et, un peu plus loin sur la nationale, d'une bombe géante de crème fouettée Lucky Whip. Mais Tom l'avait emporté. Il était alors bourré d'idées et de projets possibles. Fraîchement marié, leur premier bébé en route, Jesse à peine rentrée des Jeux olympiques. Il considérait ce portail comme une entrée de conte de fées vers ce qui serait à coup sûr un merveilleux enchaînement d'événements.

À présent, des années plus tard, Tom est parti, le premier bébé s'est résumé à une fausse couche à laquelle elle ne pense presque plus, les Jeux olympiques semblent être arrivés à quelqu'un d'autre, une personne qu'elle connaît assez bien et dont elle se souvient avec tendresse, mais qui n'est pas tout à fait elle. Et, une fois de plus, le portail a cruellement besoin d'être recrépi et repeint. Même ici, à Venus Beach, qui est moins un quartier qu'une opportunité pour des chaînes commerciales, un point sur la carte géante des réseaux de Pizza Hut, Gap et Walmart, même ici où il ne se passe jamais grand-chose, les gens ont encore des façons plus excitantes de passer leur temps libre que de faire des allers-retours dans un rectangle d'eau.

Jesse est en train d'essayer de changer les choses avec de l'initiative et de l'innovation. Elle travaille constamment sur de nouvelles idées. Louer la piscine pour des soirées splash a bien marché. Elle le fait avec son amie Elaine, qui gère le *Pancake House* en ville et possède une entreprise free-lance de traiteur à côté.

Jesse a également ravivé le calendrier de l'école à l'aide de plusieurs nouveaux programmes. Un cours « Peur bleue » pour les adultes qui n'ont jamais osé se mettre à l'eau. Et, les mardis après-midi, Sharon gère un grand groupe de personnes âgées inscrites à l'« Aquarobic contre l'Arthrite ». Cela ne rapporte pas vraiment d'argent parce que Jesse doit faire chauffer la piscine à fond, mais les vieux l'apprécient vraiment. Le bassin est bondé. C'est agréable à voir.

Sharon, qui a tenu la boutique toute la journée, est seule dans la piscine quand Jesse rentre. Celle-ci se tient dans l'ombre et observe. Les lumières sous-marines sont allumées, et la surface ondoyante, turquoise vif, se détache contre le rose profond de la paroi en terre cuite du bassin et, au-delà, contre la teinte du coucher de soleil qui a succédé à l'orage. Sharon est un véritable hors-bord, un catamaran évoluant à la surface de l'eau. Ses épaules couvertes de taches de rousseur émergent de plusieurs centimètres. Quand elle s'entraînait pour le sprint, elle était à couper le souffle.

Il y a quelques années, lorsqu'elle a battu Jesse au cent mètres, celle-ci a pensé que le relais était peut-être en voie d'être transmis. Si cela devait arriver, il fallait que ce soit Sharon qui le prenne. Quand les enfants étaient petits, Jesse avait d'abord pensé que ce serait Anthony. À trois ans, tandis que Sharon pataugeait encore dans le bassin des petits, il sautait déjà du haut plongeoir et franchissait de son petit corps gigotant toute la longueur de la piscine.

Mais ensuite, à l'adolescence, il avait compris qu'il pouvait affecter Jesse en restant hors de l'eau. La simple suggestion de nager avait commencé à le rendre maussade, et obtenait encore le même effet aujourd'hui ; un tel rejet dérange Jesse plus qu'elle ne peut l'expliquer. Toutefois, au moment où il était sorti de l'eau, Sharon y était entrée et Jesse avait pu transférer ses espoirs. Après que Sharon eut bien réussi lors de quelques compétitions au lycée durant sa première année dans l'équipe, Jesse s'était mise à songer à la faire entrer au Sea Breeze, à Pompano Beach, où elle-même s'était entraînée les derniers mois avant de se rendre aux championnats nationaux.

Mais c'était un espoir qu'il ne fallait pas examiner de trop près, étant donné l'impression de confinement que Jesse avait éprouvée pendant presque toute une adolescence passée à s'entraîner. En réalité, la seule chose qu'elle souhaitait, au fond d'elle-même, était une réplique de sa propre chance, une chance qu'elle pouvait cette fois ne pas rater, un effacement de son propre échec par le succès de sa fille. Quand elle s'en était rendu compte, elle s'était sentie terriblement mesquine.

De toute façon, il ne semble pas que cela puisse arriver. Sharon possède l'intelligence de la technique et assez de persévérance pour délayer la monotonie. Ce qu'elle a perdu en entrant dans la fleur de l'adolescence, c'est la quantité insensée d'ambition requise. Devenir une athlète de classe mondiale a tout simplement cessé de l'intéresser. À dix-sept ans, les désirs de Sharon se sont focalisés sur une bande de garçons de son école qui, l'un à la suite de l'autre, ne prennent pas la peine de l'appeler.

Sa meilleure amie, Janine, sort désormais avec l'un de ces gars, ce qui plonge Sharon dans la torpeur depuis le début de l'été. La plupart du temps, elle semble terriblement déprimée, comme si elle prenait des comprimés de misère. Des dépresseurs. Même quand elle nage, c'est avec une sorte d'urgence sombre, comme si elle creusait un trou dans l'eau, fuyant le monde terrestre où l'attend son chagrin.

La nuit, elle reste dans sa chambre, emmurée dans son baladeur, cherchant dans des magazines comme *Glamour* et *Seventeen* des passages secrets menant au cœur du garçon responsable du coma actuel du téléphone. En désespoir de cause, Jesse souhaiterait pouvoir simplement appeler Don Corleone à l'aide de Sharon. Le Don enverrait deux types extrêmement raisonnables, à la voix douce et au complet magnifiquement coupé, chez ce garçon : Ian. Ils expliqueraient à Ian la situation d'une voix douce et raisonnable, et, s'il ne se ralliait pas à leur point de vue, des poissons morts et des têtes de cheval lui rendraient visite. Les pensées de Ian sur le sujet gagneraient une nouvelle clarté, et il larguerait Janine et appellerait Sharon.

Les dilemmes d'adolescence de Sharon sont à la fois similaires et très différents de ceux de Jesse. Janine, par exemple, a déjà un bébé, Madonna, ainsi appelée, bien sûr, en l'honneur de Madonna. Elle a eu le bébé à la fin de l'année scolaire, refuse de dire qui est le père, mais Ian est sûr que c'est lui, et cela a fait de lui l'otage de Janine, laquelle ne paraît pas se soucier de lui plus que ça. Avant le bébé, Ian et Sharon sortaient ensemble. Maintenant, Sharon dit : « Peut-être qu'on n'était pas vraiment ensemble. »

Sortant de son virage, Sharon aperçoit Jesse et nage en diagonale jusqu'à elle, retirant ses lunettes. « Hé ! Comment ça s'est passé ? » Elle a l'air toujours calme, même lorsqu'elle est préoccupée, et Jesse sait qu'elle l'est à propos d'Anthony.

« Pour sa main, ils ne savent pas encore. Tout le reste – la situation – est un désastre. Il a dit qu'il était malade au restaurant, mais quand ils verront cette main, je ne sais pas ce qu'ils feront. Je l'ai déposé à la caravane. Quelle ambiance folle, là-dedans. Au fait, tu as déjà remarqué à quel point Lynette ressemble à une Esquimaude ?

— Maman, elle est blonde. Je pense même qu'elle est suédoise, non ? Je veux dire, elle s'appelle Swenson.

— Certes, reconnaît Jesse.

— J'avais peur qu'ils le gardent enfermé, avoue Sharon. Qu'il panique. Tu sais à quel point il est claustrophobe. »

Jesse l'ignorait. La plupart des choses qu'elle sait sur Anthony aujourd'hui, elle les connaît par Sharon.

« Il vient d'être libéré sous caution, explique-t-elle. Il y a une audience prévue vendredi. Mais ton père connaît un type – un “avocat turbo” – qui est censé arranger tout ça avant cette date. Bien sûr, c'est super pour Anthony, mais tout de même, ça me donne un peu la nausée que ton père se pointe et balance de l'argent à tour de bras pour arranger la situation.

— Allez, détends-toi. Ne généralise pas. Je vais préparer le dîner », dit Sharon, qui se hisse hors du bassin, noue une serviette sur ses reins et se penche en avant pour en enrouler une autre autour de ses cheveux. Elle éteint les lumières de la piscine et prend la main de Jesse pour traverser le passage couvert qui mène à la maison. À l'intérieur, elle enfile un short et commence à préparer le dîner pendant que Jesse sort quelques abricots du bac à légumes du réfrigérateur, puis s'affale dans le fauteuil inclinable à un accoudoir qu'elles ont tiré dans la cuisine. Sa peau colle au similicuir. Le compresseur de leur climatiseur vieillissant n'est pas à la hauteur de la chaleur et de l'humidité de cet été.

« J'ai peut-être besoin d'un avocat moi-même. Un flic à moto débile m'a arrêtée cet après-midi. Un nouveau. Ils ont des radars dans des avions maintenant. Je suppose qu'on peut donc tous jeter nos détecteurs.

— Oh, Ma, tu ne peux pas te permettre de perdre davantage de points !

— Ne t'inquiète pas. Je prévois d'être incroyablement lente à partir de maintenant. Même les piétons me dépasseront.

— Ne te coupe pas l'appétit », dit Sharon en regardant les abricots. Elle se retourne vers le comptoir. « Je me lance dans la gastronomie ce soir. » Elle dépose quelques galettes de pommes de terre rissolées dans les fentes du grille-pain et imite une voix off : « “La vie des riches et des célébrités : une jeune chef non conformiste de Floride, Bellini, fait une utilisation audacieuse du grille-pain pour les aliments surgelés.”

— Tu sors ce soir ? » demande Jesse.

Sharon se tourne, hoche la tête et roule les yeux comme une folle. « Au ciné avec Janine et le bébé. Ian nous retrouve là-bas.

— Elle amène le bébé au cinéma ? Ça ne rend pas tout le monde dingue ?

— Non. La petite dort surtout. La plupart du temps, je la tiens pendant que je fais semblant de regarder le film, mais en réalité, je perds la tête à force de lorgner de côté pour voir si Janine et Ian s'embrassent, ou pire.

— Quoi de pire ? » demande Jesse, et Sharon roule à nouveau les yeux, cette fois plus lentement, ce qui signifie : « Tu plaisantes ? » « Eh bien, fait Jesse, ça forme probablement le caractère.

— Tu n'es pas obligée de dire des trucs comme ça.

— Non, n'est-ce pas ? Je continue de penser que oui, mais je suppose que ce n'est vraiment pas le cas. Parfois, on ne sait pas quoi faire, en tant que parent, alors on répète simplement une phrase sans valeur que notre propre mère nous a dite. » Elle remarque que Sharon s'est immobilisée au beau milieu de sa frénésie culinaire, que ses épaules tremblent doucement, et n'a pas besoin de voir de larmes pour savoir qu'elle pleure. Cela arrive si soudainement ces derniers temps, comme les brèves pluies d'après-midi par ici.

Elle ne peut pas supporter la souffrance de sa fille ; elle la ressent trop vivement. Sharon le sait et se sent coupable de surcroît d'être déprimée. Chacune s'emmêle dans les lassos en boucle des sentiments de l'autre. Jesse doit la faire partir d'ici. Sharon a encore une année de lycée, puis Jesse fera en sorte qu'elle aille à l'université. Loin. Sinon, elle craint qu'elles ne se transforment en un horrible duo mère-fille. Du genre à faire allusion de manière énigmatique aux secrets de famille, à s'attarder de manière obsessionnelle sur des souvenirs anciens. À se comporter bizarrement en présence de visiteurs.

« Hé, dit-elle en s'adressant au dos de Sharon. Reste à la maison ce soir, si tu veux. »

Ce serait mieux pour Jesse, toutefois, que Sharon sorte. Elle pourrait s'éclipser et rendre visite à Oscar, ce qu'elle aimerait vraiment faire. Elle déteste déguerpir comme une gamine quand, faute de petit ami, sa fille découragée reste à la maison.

Mais Sharon a autre chose en tête ce soir, Jesse le sent. Le ton de sa dépression est légèrement différent. Elle attend.

« Tu crois qu'on pourrait acheter de nouveaux meubles ? demande Sharon d'une voix humide. Un de ces canapés chics à dossier courbe, peut-être.

— Oh non ! s'exclame Jesse, comprenant qu'il s'agit de Tom.

— Je ne veux pas qu'il pense que nous sommes sur le déclin.

— Il faudra que je me souvienne de mettre mes dents jeudi.

— Non, je veux dire… » Sharon se détourne de la cuisinière et fait un geste avec une grosse fourchette à la main.

« … Tu as peut-être remarqué que dans les magazines les tables de cuisine ne sont pas recouvertes de papier adhésif vert citron. Ou que, quand Barbara Walters interviewe des célébrités chez elles, les sièges ont toujours deux accoudoirs. Les deux sièges. Les célébrités n'ont jamais besoin de dire à Barbara : "Tenez, prenez le *bon* fauteuil."

— Ce n'est pas comme si nous avions une machine à laver hors d'usage dans la véranda, objecte Jesse.

— Non, ça c'est le mauvais goût en Alabama. Nous, c'est la dèche en Floride. »

Jesse rabat le levier vers l'avant et se hisse lentement hors du fauteuil inclinable. Elle dispose des assiettes, des fourchettes, des serviettes en papier et une grande bouteille en plastique de Coca-Cola sur la table basse devant la télé.

Sharon apporte les pommes de terre rissolées et une casserole d'œufs brouillés. « *Au fromage*, annonce-t-elle en français en désignant les tranches fondues sur les œufs. "Le génie de Bellini réside dans l'élévation de l'humble au sublime, comme dans son dessert révolutionnaire : le Flanby Flambé." »

Elles mettent *La Roue de la fortune*.

« Vanna va-t-elle arriver à gérer la pression ce soir ? » s'interroge Sharon.

Elles ont remarqué que, bien que la co-animatrice Vanna White soit uniquement tenue de dire « bye bye », cela fait plusieurs soirs qu'elle a laissé tomber son deuxième « bye ».

Deux heures plus tard, Sharon est sortie au cinéma du centre commercial *Fashion*, et Jesse est allongée sur les vaguelettes du lit d'eau d'Oscar, le premier achat de son récent célibat. Lorsque sa femme, Louise, est partie, elle a emmené une camionnette bourrée de meubles indispensables ; le lendemain, Oscar s'est rendu à *Water Bed World* et, sans avoir rien fumé, s'est laissé charmer par un lit king size au cadre en formica gris marbré, avec des lampes en forme d'urne fixées aux tables de chevet. La seule chose qu'il n'ait pas prise était l'option fontaine.

La télé est allumée et diffuse sur une chaîne publique une émission sur un vieux réalisateur hollywoodien. Des extraits de ses films, suivis de brèves interviews avec des stars ayant travaillé avec lui, désormais effroyablement âgées. La plupart d'entre elles semblent avoir été exhumées pour l'occasion.

« Si jamais un jour on te rend hommage, dit Jesse à Oscar, je n'y figurerai pas. Je ne pourrais pas supporter que tout le monde me voie si décrépite et fagotée comme si je n'étais pas sortie de chez moi depuis 1958. J'apporterai mon modeste témoignage par téléphone. »

À l'autre bout de la pièce, Oscar prend la pose devant la porte du placard miroir, dans le caraco en coton de Jesse, étiré sur sa poitrine, alors que d'épais poils noirs jaillissent à travers la dentelle du haut. « Je parie que je pourrais être bon en drag, déclare-t-il, sauf que je ne trouverais jamais rien qui m'aille. Tout ce qu'ils doivent avoir à ma taille, ce sont des vêtements gériatriques. Des gaines aussi longues que des bermudas. Des slips comme des tentes de plage. » Il revient se coucher et Jesse tangue un peu sur la mer caoutchoutée.

« Ça suffit. Tu vas l'élargir, dit-elle en pinçant la bretelle spaghetti du caraco.

— Oui, mais maintenant il y a mon musc partout dessus. Oscar : Le Parfum. »

Depuis un certain temps – les cinq ans où Jesse a été seule et les deux dernières années de son mariage avec

Tom –, elle et Oscar sont amants, ou quelque chose d'approchant qu'ils ne nomment pas eux-mêmes. D'abord en cachette, car ils étaient tous deux mariés. Mais, même depuis qu'ils sont libres, ils n'ont pas opéré de grands changements. Désormais, Jesse se gare dans son allée quand elle lui rend visite, et non plus au coin de la rue, c'est à peu près tout.

S'ils quittaient cette zone grise, ce serait pour empiéter sur la vie de l'autre. Ils se sentiraient obligés de sortir dîner ensemble et de fêter divers petits anniversaires. Ils devraient s'engager dans une sorte de partenariat compliqué au lieu de poursuivre cette chose qui nécessite si peu d'entretien. Par ailleurs, ils seraient contraints de se confronter à la marque locale de haine *redneck*. Oscar est noir et Venus Beach est un endroit où les Lumières se sont plus ou moins propagées, mais où les relations raciales sont çà et là encore un peu crispées. Jesse serait prête à l'assumer. Elle aime secouer les esprits étriqués et écouter les billes s'entrechoquer à l'intérieur. Mais Oscar n'est pas partant. Il dit qu'il veut juste vendre des Toyota et regarder les matchs des Miami Dolphins, sans finir comme une torche sur la pelouse de quelqu'un.

Le vrai problème pour Jesse, c'est qu'elle ne veut pas d'une grande histoire romantique avec qui que ce soit ici. Elle essaie d'alléger ses bagages pour être prête à sauter dans un autocar de nuit.

Il passe le doigt le long de la petite cicatrice à angle droit sur sa mâchoire, la dérangeant pendant qu'elle se fait les ongles avec un vernis piqué à Sharon.

« Comment tu t'es fait ça déjà ? interroge Oscar. Une rixe au couteau ? »

Elle referme la bouteille, la pose et touche la cicatrice avec précaution, pour éviter d'abîmer son vernis. « La riposte d'un plongeoir. »

Il l'embrasse, puis se retourne.

« Tu veux me faire les orteils ? dit-il en étendant sur les genoux de Jesse sa longue jambe à la cuisse noueuse. Je pourrais peut-être trouver quelque chose pour Anthony à la concession, ajoute-t-il alors qu'elle saisit son pied et se met au travail. Laver les voitures d'occasion. Écrire les prix sur les pare-brise. Ce serait un peu comme du vandalisme, donc ça pourrait vraiment lui plaire. Et il pourrait gravir les échelons. C'est le problème de son job, dans cette baraque à poissons : il n'y a pas d'avenir.

— Qu'est-ce qu'il écrirait sur les pare-brise ?

— Tu sais bien. COMME NEUVE. PREMIÈRE MAIN, NE CONSOMME RIEN. *Baby*, je pourrais te faire faire tout de suite une si belle affaire sur une Corolla. Je pourrais m'occuper du financement et étaler tes paiements indéfiniment. Tu ne remarquerais même pas que tu achètes quoi que ce soit. » C'est une vieille rengaine. Ça tue Oscar qu'elle ne le laisse pas lui vendre une Toyota.

« Tu me ferais une reprise sur El Dog ? veut savoir Jesse.

— Le char que nous abandonnerons une nuit dans les Everglades. Pour que les sables mouvants l'absorbent. »

La télé est allumée quand Jesse rentre à la maison. Sharon et Janine regardent une vidéo de rock avec des mecs en cuir et colliers cloutés, la poitrine moite, la mine sexuellement menaçante. Jesse doute que de telles images puissent être saines pour des adolescentes en train de se découvrir, mais d'un autre côté, elle ne voit pas comment elle pourrait surveiller tout ce qui se passe autour de Sharon. Elle compte juste sur sa fille pour résister à ce qui est faux ou corrompu, alors qu'elle redoute sans cesse qu'Anthony ne soit la proie des tentations les plus futiles qu'offre la culture. Elle craint de reproduire la méthode parentale de sa propre mère, qui laissait l'enfant fort se débrouiller seul tout en menant une vie de combats au nom du faible.

La petite Madonna est allongée sur le canapé dans sa couche. Elle est occupée à jouer avec ses orteils. Sharon et Janine semblent avoir intégré le bébé dans leur vie si facilement que cela étonne Jesse. Celle-ci essaie de s'imaginer avec un bébé aujourd'hui et sent une vague d'épuisement la traverser rien qu'à cette idée.

« Hallie a appelé, dit Sharon.

— Je suis HS. Je la rappellerai demain.

— Non, elle a dit que tu pouvais appeler aussi tard que tu voulais, elle va regarder un film de vampires chez Mamy. Elle veut te donner son horaire de vol. »

La marraine de Jesse habite à proximité, à une quinzaine de kilomètres de la côte. Sur un coup de tête apparent, elle avait déménagé pour s'installer ici quelques années auparavant. Jesse aurait aimé qu'elle emménage avec eux, mais Hallie avait l'habitude d'être seule, elle avait donc acheté un petit appartement dans une résidence pour retraités, *Les Dunes dorées*. Il y avait un restaurant, et l'appartement était équipé d'un micro-ondes et d'un lave-vaisselle, avec une sonnette dans la salle de bains pour appeler les secours en cas de crise.

« Je ne l'utiliserai jamais, avait déclaré Hallie à Jesse. Je ne supporterais pas que quelqu'un me trouve contusionnée dans la baignoire, ou affalée la tête en bas devant la cuvette des toilettes. »

Hallie aime l'atmosphère de l'endroit, qui semble à Jesse surtout composée d'amusements surfaits visant à distraire les occupants de l'avancée de la faucheuse. Hallie est l'une des plus jeunes résidentes et offre un spectacle guilleret en se déplaçant dans le lotissement sur un énorme tricycle, ce qui ne semble pas du tout l'embarrasser.

La Floride ne la rebute que pendant la partie la plus chaude, la plus humide et la plus infestée d'insectes de l'été, laquelle est donc devenue le moment de son retour annuel dans le Missouri. Cette année, pourtant, d'après ce que Jesse a entendu, il a fait plus chaud là-bas qu'en Floride. Hallie doit revenir dans quelques jours et Jesse ira la chercher à l'aéroport de Palm Beach. Cet appel peut vraiment attendre, mais si Jesse le repousse, Hallie – qui aime tout mettre au net, par écrit, avoir sa carte d'embarquement préimprimée, son repas spécial (pauvre en sel) commandé à l'avance – s'inquiétera inutilement.

Jesse sort une brique de lait au chocolat du réfrigérateur et s'approche du téléphone mural. « Je veux boire ton sang », dit-elle quand Hallie décroche. La mère de Jesse sera déjà couchée.

« Tu peux te permettre de faire de l'esprit. Tu ne regardes pas le film. Je vais devoir dormir avec les lumières allumées.

— Donne-moi ton heure de vol. Honnêtement, j'ai hâte que tu sois de retour », dit Jesse, et elle prend note de tout, puis ajoute, d'une voix grave : « Je porterai un sombrero et me tiendrai sous la grande horloge. »

Elle ne mentionne pas les problèmes d'Anthony. Hallie séjourne dans la maison de sa mère, utilise assurément l'extension de la cave aménagée. Frances dort sans doute profondément, mais tout de même. Jesse ne veut pas prendre le risque d'être écoutée sur l'autre combiné. Sa mère n'a pas besoin d'être au courant de l'arrestation d'Anthony.

« Comment s'est passée la fête ? » demande-t-elle à la place. Frances a pris sa retraite en juin, après avoir enseigné l'anglais au lycée pendant plus de quarante ans. Hallie et quelques autres vieux amis ont organisé les festivités.

« Oh, il y avait un monde fou ! Persis Goudy, ce vieux moulin à paroles, a prononcé un discours qui présentait ta mère comme un croisement entre Mère Teresa et Einstein. »

Jesse ne trouve rien de positif à dire sur la carrière de sa mère, si ce n'est qu'elle est heureuse d'avoir réussi à éviter de se retrouver dans son cours d'anglais.

« Il y a quelque chose, toutefois, dit Hallie. Ta mère s'est trouvé un compagnon.

— Holà !

— Elle te l'apprendra elle-même dans quelque temps, je suppose, poursuit Hallie. Je pense qu'elle est encore un peu timide à ce sujet.

— Une romance ? Ma mère ? C'est un vieux débris ?

— Comment peux-tu dire ça ! Et il ne l'est surtout pas. Pour ce genre de fête et notre catégorie d'âge, c'est un sacré beau gosse. Je te donnerai des détails… tu sais. Plus tard.

— Des polaroïds ?

— Mmm. Des vidéos. »

« Pouvons-nous ne pas faire de gâteau rose cette fois-ci ? S'il te plaît ? » Elaine Kurczak apporte l'un des pichets thermos en plastique doré qui servent à tenir la promesse de café à volonté du *Pancake House*. Jesse est assise sur une des banquettes du fond, tacitement réservée au personnel. Il est onze heures du matin, après la foule du petit déjeuner et avant que le service de midi ne commence, et Elaine peut prendre une demi-heure pour passer en revue le menu de la fête de seizième anniversaire qui aura lieu la semaine suivante.

« Anthony s'est encore mis dans la merde », annonce Jesse, sans rapport apparent avec ce qui précède. En réalité, comme tous ses échanges avec Elaine ne sont que des épisodes de la même longue conversation, il n'y a effectivement aucun illogisme, aucun antécédent laissé trop loin en arrière.

Elaine hoche la tête et écoute les détails sinistres tout en se tenant au-dessus de Jesse ; elle a retourné sa tasse à l'endroit sur la soucoupe et la remplit à un centimètre du bord exactement, le tout d'un geste fluide et professionnel.

« Et maintenant, Tom va débarquer à la rescousse, reprend Jesse. Je déteste être forcée de le voir. Ça me tue, ça me rappelle tout ce que j'arrive d'habitude à oublier. Je ne sais pas pourquoi cela ne le gêne pas de me voir, car il n'en donne pas l'impression. Peut-être qu'il est juste plus doué pour faire comme si cela ne le dérangeait pas. Mais là encore, peut-être qu'il y est vraiment indifférent. Il n'a rien à me reprocher. J'en suis arrivée à le détester parce que j'étais là, dégoûtée par lui mais déterminée à tenir bon, quand il m'a quittée d'un coup. En plus, il m'a plaquée si vite que je ne me suis pas rendu compte tout de suite que son départ me laisserait coincée dans la vie que nous avions bâtie à deux, alors que lui faisait table rase. Rien que d'y penser, mes mains me démangent. Comme celles d'un étrangleur.

— Il n'est qu'un petit point sur l'écran de ton radar, tempère Elaine. Il n'est rien. Qu'une chose stupide que tu as faite quand tu étais jeune. Comme dormir toute la nuit avec des bigoudis.

— J'essaie de me rappeler ne serait-ce qu'un seul des sentiments que j'ai pu ressentir lorsque nous nous sommes mariés. Tout ce que je retrouve, c'est que j'aimais le regarder laver notre voiture, puis la masser avec de la cire de carnauba pendant tout un dimanche après-midi. Je devais trouver ça viril, ou un truc dans le genre. Mais ça ne semble pas suffisant pour épouser quelqu'un. Je pense qu'il était juste un mauvais choix basé sur des motifs flous.

« Je sais que j'ai dû être folle de lui, cela dit, parce qu'il y avait un autre gars, dans les parages. Mignon dans le genre nounours. Je ne sais pas pourquoi je l'ai laissé filer. Je devais trouver qu'il était trop gentil, ou bien, précisément, trop “du coin”. Je pensais qu'avec Tom tout serait différent. Au lieu de cela, c'était la même chose, simplement dans un endroit différent. »

Elle balaie le décor d'une main pour inclure tout Venus Beach, comme une figurante dans un jeu télévisé pendant que l'annonceur décrit l'ensemble de salon sept pièces que les candidats pourraient gagner.

« Quand je regarde en arrière, il semble qu'il y ait eu ce court laps de temps juste après le Mexique où j'ai dû prendre toutes les décisions cruciales de ma vie. Sauf que j'étais bien trop jeune pour faire quoi que ce soit d'intelligent. J'étais plus jeune qu'Anthony aujourd'hui, et il me paraît terriblement informe. À peine au-delà du protoplasme.

— Du protoplasme criminel », renchérit Elaine. Il lui arrive de dire des trucs comme ça. Son propre enfant est une « Deadhead » : cela fait trois ans qu'elle suit en tant que fan le groupe Grateful Dead, sans rien faire d'autre, tout ça après qu'Elaine a traversé dix-sept années d'une maternité difficile, pour l'essentiel monoparentale, et dépensé plusieurs milliers de dollars en orthodontie, scolarité privée et leçons d'équitation.

« La plupart de mes actions à l'époque étaient juste une réaction, médite Jesse. Ma mère voulait que j'aille à l'université étudier l'anglais pour l'enseigner ensuite, comme elle. Alors, bien sûr, je ne pouvais pas faire ça. Elle pensait que Tom était un faiseur et cela a suffi pour que je le suive. La route était toute tracée.

— Tu devrais te réjouir de l'avoir laissé derrière toi », dit Elaine. Elle s'est assise en face de Jesse et sort une cigarette en plastique, un accessoire d'un programme à trois cents dollars qui constitue sa quatrième tentative pour arrêter de fumer. « C'est beaucoup mieux que le bazar que je traverse avec Steve. Juste au moment où je l'ai à peu près oublié, il tombe sur une soirée où je me sens seule, me soûle au mousseux et nous finissons au motel *Eros*, où ils ont cette maudite balançoire taïwanaise.

— À quoi ressemblent les chambres ? Je me le suis toujours demandé.

— Ah, tu sais... Lits d'eau et téléviseurs grand écran avec cassettes porno. Moquette poilue brune partout. Toutes les surfaces possibles, horizontales *et* verticales, sont recouvertes de moquette. Et puis Steve disparaît à nouveau et je me retrouve tout agitée et déboussolée.

— Je ne sais pas comment tu peux avoir la moindre hésitation à propos de Steve. Il vit avec une lycéenne.

— Elle a eu le bac. »

Cela n'arrête pas Jesse. « Il conduit un *monster truck*. Il assiste à des combats de pitbulls. C'est un cauchemar, ce mec. J'espère que cela ne t'ennuie pas que je parle de lui en ces termes ?

— Non, je sais bien. »

Tessa, la cuisinière de la seconde équipe d'Elaine, une femme noire aussi imposante que gracieuse, originaire d'une minuscule île des Caraïbes, se tient maintenant près de leur table.

« J'ai juste besoin de savoir : est-ce qu'on continue les crêpes à bandes et à étoiles, maintenant que le 4 Juillet est passé ? »

Elaine réfléchit un moment. « Donne-leur encore une semaine. Les gens semblent apprécier un petit déjeuner patriotique.

— De quoi s'agit-il ? veut savoir Jesse alors que Tessa retourne en cuisine.

— Tu garnis les gâteaux avec de la compote de myrtilles et de cerises entrecoupée de lignes de crème fouettée. Pourquoi tu ne t'installes pas avec Oscar ? C'est un amour. Tu pourrais attendre que Sharon finisse le lycée, puis l'épouser et déménager dans le Nord, dans une de ces villes progressistes où ils interdisent les armes à feu, recyclent tout, acceptent les mariages homosexuels et les mariages mixtes, et sont tolérants envers tout le monde. »

Jesse secoue la tête et tend la main vers le pot de crème, décollant son avant-bras de la table enduite en permanence d'une fine couche de sirop d'érable. Elle sort une serviette du distributeur, la plonge dans son verre d'eau et essuie la trace violette sur sa peau.

« Oscar et moi vivons quelque chose de chouette, mais sans lendemain. J'essaie de garder mes options ouvertes pendant que je cherche… Je ne sais pas. Je ne sais plus trop ce que je cherche. Ce qui doit venir *après*, je suppose, mais je ne m'imagine même pas ce que ça pourrait être.

— Au moins, je n'ai plus d'illusions sur ce plan, renchérit Elaine. Au moins, je suis libérée de ça. Pour moi, tout ça a pris fin de bonne heure. Je savais que tout le reste – même mes mariages – ne serait jamais à la hauteur... enfin, tu sais. »

Elaine ne prononcera jamais son nom. Tout ce qu'elle dira, c'est « The King ». Elle déteste raconter cette histoire, qui s'est déroulée quand elle avait seize ans à Detroit et qu'Elvis était en tournée. Elle se tenait près du premier rang lorsqu'il a fait claquer sa guitare contre son aine et esquissé un petit sourire cruel, désignant Elaine. Aussitôt une vingtaine de filles ont sauté sur elle, ont arraché son bracelet à breloques et les boutons de sa veste, puis ses bas du porte-jarretelles et les ont déchirés en lambeaux. Pour elles, c'étaient des reliques au deuxième degré. Des objets appartenant à quelqu'un qu'Elvis avait reluqué. Plus tard, en coulisses, un des *roadies* avait demandé à Elaine et à son amie Marilyn si elles voulaient venir à une soirée à l'hôtel, dans la suite d'Elvis.

« Comment est-ce qu'il t'a abordée à la fête ? Je veux dire, est-ce qu'il t'a dit une phrase, ou juste fait une sorte de signe et tu as su qu'il voulait que tu couches avec lui ? »

Jesse, qui pense qu'il s'agit de la chose la plus fascinante qui soit jamais arrivée à une personne de sa connaissance, essaie toujours d'obtenir quelques détails supplémentaires dans les rares occasions où le sujet est abordé. D'habitude, Elaine protège cet événement – Jesse pense que c'est parce qu'elle ne veut pas l'abîmer –, mais aujourd'hui, alors qu'elle enclenche la calculatrice pour savoir ce qu'elles devraient facturer pour cette fête d'anniversaire afin de réaliser un bon profit, elle avoue : « Il m'a demandé si je voulais voir sa collection de pièces de monnaie. »

El Dog est garé juste devant les portes coulissantes en verre de la zone de retrait des bagages, dans une zone strictement interdite signalée par des bandes rouge et jaune et plusieurs panneaux menaçants. Un flic est en train d'inspecter la voiture. Jesse se précipite, laisse tomber les sacs d'Hallie et se lance dans une explication compliquée. Hallie est une parente âgée, il a fallu approcher la voiture. Elle espère qu'Hallie, la suivant d'assez près, aura suffisamment saisi ce qui se passait pour adopter une apparence sénile, ce qu'elle fait, se penchant un peu, prenant le bras de Jesse d'une main tremblante, se laissant lentement replier sur le siège passager.

Alors que le flic les regarde toujours intensément, Jesse se glisse au volant et se met en route avec prudence, telle une bibliothécaire au volant d'un bibliobus. Au moment où elles arrivent sur l'autoroute, cependant, elle a atteint la vitesse qui la maintient dans une étroite relation avec la police de la route en Floride.

Jesse regarde de côté, remarque la main d'Hallie cramponnée au bouton de la boîte à gants. Elle ralentit un peu.

« Ai-je raté quelque chose ? demande Hallie une fois que Jesse a franchi le tourbillon des voies de sortie et qu'elles se dirigent dans la bonne direction sur la route 1.

— Anthony s'est mis dans une situation difficile, explique Jesse. Il n'y aura aucun moyen de cacher ces nouvelles à ma mère, pas avec Tom qui descend.

— Il traverse une zone trouble, commente Hallie après avoir écouté les détails. Il doit faire le tri de toutes les façons d'être qui existent jusqu'à ce qu'il trouve la sienne. »

Jesse quitte la route des yeux assez longtemps pour admirer Hallie et sa capacité à donner une bonne tournure aux pires situations lorsque celles-ci impliquent Jesse ou l'un de ses enfants. Tom Bellini ne figure toutefois pas sur cette courte liste. L'opinion d'Hallie à son sujet, exprimée à la moindre occasion, est que Tom n'est pas une personne sérieuse. Sa propension à l'infidélité, manifeste dès la première année de son mariage avec Jesse, ainsi que son hypocondrie, son cabotinage permanent et son irascibilité face à la déception, étaient les signes, selon elle, d'une enfance gâtée.

« Laisse sa famille le récupérer, avait-elle déclaré quand il avait quitté Jesse et les enfants, l'école de natation et Venus Beach sans rien laisser d'autre qu'une trace de pneus dans l'allée. Ils le méritent. »

Chaque fois que le nom de Tom fait surface, comme c'est le cas à présent, Hallie est prête à le pourchasser. Jesse lève la main pour l'arrêter. « Il n'est même pas encore arrivé. Je ne veux pas avoir à penser à lui une seconde de plus qu'il ne le faut. Parle-moi plutôt du petit ami. »

Hallie lâche la boîte à gants et commence à fouiller dans son sac à main géant, tellement bourré qu'il ne ferme plus. Elle sort un gros paquet jaune, prend la première photo de la pile et la tend à Jesse. Qui s'arrête sur le bas-côté et la pose au centre du volant pour la regarder.

Le gars sur la photo semble avoir environ dix ans de moins que sa mère (qu'il tient par l'épaule contre lui), il porte une chemise noire et un pantalon avec une ceinture blanche et des bottes. Ses cheveux ont la couleur aile de corbeau des teintures maison.

« Il est dans le rock'n'roll, dit Hallie. Il joue de la *pedal steel guitar* dans un groupe tapageur à l'affiche du *Blue Light* le week-end. Les B. Sting[1]. »

---

1. Double jeu de mots intraduisible entre *bee sting* (« piqûre d'abeille ») et « Sting [le chanteur] de série B ».

Jesse regarde à nouveau Darrell et s'efforce de comprendre ce qui le relie à sa mère, sous quels angles obliques ils peuvent éventuellement se rencontrer.

« Tu penses qu'il en a après son argent ? demande Jesse.

— Cette fortune en bons d'épargne et en livrets bancaires ? Tu rigoles. À la limite, il a plus à perdre qu'elle. Il possède une maison dans un trou perdu, en Arkansas, mais il envisage de déménager pour être avec elle.

— Ça semble sérieux.

— Eh bien, je ne serais pas surprise d'entendre les cloches du mariage sonner très bientôt.

— Oh, Hallie », dit Jesse à bout de souffle, posant sa main sur le genou de sa marraine, puis changeant de vitesse pour se réengager sur l'autoroute : « Dis-moi qu'ils n'ont pas *besoin* de se marier. »

Après avoir récupéré au chenil le chien d'Hallie, Sweetie, elles se rendent à son appartement. Une fois que Jesse a apporté les bagages, qu'Hallie a remonté les volets anti-ouragan et ouvert toutes les fenêtres pour faire courant d'air et mis une cafetière filtre en route – une boisson consommée toute la journée dans la région d'où elle et Jesse viennent –, elles prennent place côte à côte sur le canapé-lit et parcourent le reste des photos, dont la plupart proviennent de la fête.

« Du coup, je suis un peu déçue de ne pas être venue », dit Jesse au milieu de la pile, puis elle remarque une absence : « Eh, où est le Cow-boy ? Pourquoi Willie n'était-il pas là ?

— Oh, on l'avait changé de poste à la dernière minute, et tu sais qu'il ne manquerait le travail pour rien au monde. » Depuis près d'un an, William travaille au

McDonald's, à l'entrée de New Jerusalem. « Ça lui convient vraiment bien, raconte Hallie. Il emballe toutes les boîtes Happy Meal et remplit les casiers de serviettes, de pailles et de paquets de ketchup, vide les poubelles et veille à ce que tout soit en ordre dans le parking. Il est vraiment bon. Et pas seulement pour une personne comme lui. Il a été "employé du mois".

— Je sais. Il m'a appelée de chez maman. Il était tellement excité.

— Ils ont même inscrit son nom sur la place de parking spéciale.

— Mais il ne conduit pas.

— Eh bien, et alors ? rétorque Hallie, comme si c'était Jesse qui avait des problèmes de compréhension. Le fait de le placer en foyer a été une bonne chose pour lui, on ne peut que t'en être reconnaissant. »

Jesse était allée aider sa mère à ce sujet il y avait quelques années, pour s'occuper de toute la paperasse. Frances n'aurait pas pu y arriver toute seule, même si tout le monde était d'accord pour dire qu'il était temps que Willie se débrouille davantage par lui-même, s'habitue à vivre sans sa mère, en prévision du jour où il aurait à le faire.

« Cela te ferait tellement plaisir, j'en suis sûre, dit Hallie. Le personnel de la maison – Lois et Dan, tu te souviens de lui ? – s'assure que les résidents ne dérivent pas trop. Mais fondamentalement, ils sont autonomes et ça semble les mener plus loin que prévu. Je suis allée dîner là-bas une fois, et pendant un moment, on aurait pu croire qu'on était à la table d'une famille ordinaire. » Elle remarque le regard de Jesse et rectifie à la baisse. « Bon, une famille *extra-ordinaire.* »

Hallie a également apporté du courrier, transmis par la mère de Jesse. Elle jette le paquet tenu par un élastique sur ses genoux. « Je ne sais pas trop ce qu'il y a là-dedans. »

La première chose digne d'intérêt est un livret de la vingtième réunion du lycée de Jesse, qu'elle a manquée.

« Oh, tu aurais été la star de ce truc, dit Hallie tandis que Jesse feuillette le livret, regardant les photos *alors et maintenant.*

— Oh là là, qu'est-il arrivé à Louise Franz ? »

Hallie descend ses lunettes de lecture sur son nez et regarde par-dessus la monture. « On raconte qu'elle boit un peu.

— Bon sang, on dirait un marshmallow. Elle était si mignonne. Tellement vive. Ouah, voici Laurel.

— Elle est de retour en ville, explique Hallie. Son mari a obtenu un poste dans le coin. Je suis tombée sur elle au salon de beauté. Elle a demandé après toi, bien sûr. Je t'ai un peu fait mousser.

— Comment ça ? à quel titre ? Tu as mentionné ma fonction de directrice aquatique de l'Académie ?

— Ça, bien sûr. Et puis il m'est venu à l'esprit que tu avais remporté le concours de pâtisserie Pillsbury[1].

— Hallie ! s'exclame Jesse en voyant que ce n'est pas une blague, puis elle se met à rire. Et qu'est-ce que j'ai fait ?

— Une tarte tamale.

— Tu m'en diras tant. »

Jesse s'est replongée dans les lettres, pour la plupart des invitations à parler devant des groupes locaux de jeunes à

1. Minoterie industrielle du Minnesota connue pour ses préparations de viennoiseries, de gâteaux et de biscuits prêtes à cuire.

propos de « La fabrique des champions » ou de « La volonté de gagner ».

« Personne n'a jamais été plus fier que moi ce jour-là, commente Hallie, se lançant dans un sujet auquel Jesse n'aime pas toucher, elle le sait mais elle ne peut pas s'en empêcher. Te voir gagner.

— Je n'ai pas gagné.

— Tu as eu une médaille. Je ne pense pas qu'on donne des médailles aux perdants. Oh, et une fille t'a appelée de là-bas, dit Hallie. Une autre nageuse. » Elle fouille dans son sac à main surchargé et en sort un portefeuille en similicuir couleur pêche tout aussi bourré, débordant de reçus de pressing, de supermarché et de numéros de téléphone de clients. Sweetie plonge sa truffe à l'intérieur et les renifle. « Attends, où ai-je mis ce mot ?

— Peut-être que c'est ça », dit Jesse en saisissant un bout de papier prometteur. Elle le lit, puis le rend à Hallie. Tout ce qu'il dit est « fil dentaire à la cannelle ».

Hallie vérifie. « Oh, Renée, mon hygiéniste, prétend que c'est formidable ; j'avais l'intention d'en acheter. » Hallie retourne à sa recherche et trouve presque immédiatement le billet. « Voici ton amie. » Elle le tend à Jesse.

« Evelyn Spencer », lit Jesse. Elle peut entendre sa propre voix, aussi monocorde que celle d'une momie de cinéma fraîchement sortie de la crypte.

« Peut-être que nous attendions quelqu'un d'autre ? » observe Hallie, qui se targue de ne pas rater grand-chose.

Le vendredi après-midi, Jesse donne son cours « Peur bleue ». Elle a six élèves. La respiration constitue la plus grosse partie de leur problème. Si seulement elle pouvait faire circuler un plateau de cocktails avant le cours ! Dans l'état actuel des choses, elle doit faire l'effort d'amadouer les élèves elle-même, en les distrayant de leurs pires frayeurs, qui relèvent toutes en réalité exactement de la même peur. Elle a élaboré un programme combinant du yoga au bord de la piscine, des cassettes New Age et des stimulations du genre « allez, on fonce ! ». Quand toutes les conditions sont réunies, ça marche plutôt bien. Aujourd'hui, cependant, c'est loin d'être le cas.

L'élève préférée de Jesse, Dolores Huerta, une Cubaine extrêmement hydrophobe mais très courageuse et déterminée, vient d'absorber une grande quantité d'eau par le nez. Elle s'étouffe, tousse, se pointe alternativement du doigt, agite ses bras minces comme un pingouin rachitique pris de folie. Sous les yeux des cinq autres élèves, blêmes de terreur, Jesse passe un bras autour du buste osseux de Dolores et du plat de l'autre main la frappe plusieurs fois entre les omoplates.

C'est à cet instant que, surgissant par le portail de la piscine, Tom Bellini débarque dans la vie de Jesse pour la première fois depuis trois ans. Sharon, dont Jesse sait qu'elle a guetté sa voiture tout l'après-midi, sort aussitôt de la maison et laisse gauchement tomber ses épaules, comme une marionnette, quand son père la serre dans ses bras. Elle l'emmène dans la maison pendant que Jesse sort Dolores du bassin et l'installe sur une chaise longue, où elle continue à toussoter. Jesse saute dans l'eau et lance aux autres : « Hé ! Aucun problème ! »

Ils se tiennent debout et la regardent avec des yeux hagards, les pupilles dilatées. Ils passent le reste du cours à attendre qu'il se termine. Une fois qu'ils sont tous partis, probablement pour ne jamais revenir, Jesse se sèche, enfile un short et un T-shirt par-dessus son maillot de bain et gagne la maison.

Dans son désir de plaire, Sharon a préparé un mini-buffet qui fend le cœur de Jesse. Sardines sur crackers et petits sandwichs triangle à la salade de jambon dont elle a coupé les bords. Elle et Tom boivent un Perrier au citron vert. Jesse s'efforce d'avoir l'air décontractée. Elle sent qu'il faut faire comme si cette scène avait lieu tous les après-midi – une pause élégante, une tradition de l'heure du thé. Elle remarque également la nappe, vieille mais fraîchement repassée, sur la table de la cuisine tapissée de papier autocollant. Et le transat a été déplacé dans un coin du salon, son accoudoir manquant collé contre le mur, camouflé sous une avalanche de coussins.

Tom est assis sur une chaise de jardin, les jambes croisées au niveau des genoux. Il porte un pantalon en lin crème et une chemise en soie délavée. Le preux chevalier.

« Ton cours de noyade ? » Il fait un signe de tête en direction de la piscine alors que Jesse entre dans la pièce.

Juste au moment où elle songe que, mis à part la coupe de cheveux, plus longue et bouclée sur la nuque, il a gardé à peu près la même apparence, il s'exclame : « Bon sang, Jess. Tu ressembles de plus en plus à ta mère ! »

Ce qui n'est pas une chose à dire. Sa mère est comme ces gens peints par Grant Wood. Jesse lève les mains et essore ses cheveux mouillés. Comme si ça allait faire une grande différence. Comme si arranger ses cheveux allait transformer une rousse longiligne d'un mètre quatre-vingts approchant de l'âge mûr, dotée d'une vieille douleur dans le dos et d'un maillot de bain détrempant son short, en une personne féminine et sexy. En Cher.

« La maison a fière allure », reprend Tom, qui se laisse couler dans un bain de nostalgie. Qui transforme le rude présent de Jesse en un passé émouvant. Dans sa version, l'école n'est pas un anachronisme délabré ; c'est la définition du charme à l'ancienne. Elle déteste ça. Il le sait. Elle le revoit, les dernières années qu'il avait passées ici, après qu'il eut compris que la renommée d'une athlète olympique durait à peine plus que les quinze minutes allouées à chacun. Après avoir découvert que les tuyaux sous l'Académie Bud Barris étaient en moins bon état encore que son portail. Après avoir constaté que, dans les moments difficiles – dont Venus Beach enchaînait les saisons –, la première chose que les gens laissaient tomber, c'étaient les cours de natation de leurs enfants.

C'est alors qu'il avait commencé à s'en désintéresser. Tom considérait la vie comme une aventure, une qualité séduisante à court terme, mais qui le rendait indifférent aux pans moins romanesques et assez nombreux de l'existence. C'est pourquoi, alors qu'on pouvait compter sur lui pour emmener les enfants à Safari Land et au Serpentarium, il ne s'était pas assis une seule fois dans la salle d'attente du pédiatre. En tant que cellule familiale, ils fonctionnaient davantage comme une mère, ses deux enfants et leur oncle célibataire et branché.

Jesse avait conservé cette image précise de Tom vers la fin, assis dans le bureau, les sourcils froncés, les yeux gonflés après des heures passées à aller du grand livre de comptes toilé de couleur menthe à la vieille machine à additionner à manivelle, et inversement, brassant les chiffres rouges dans l'espoir qu'ils deviennent noirs, s'efforçant de redonner aux choses une tournure plus *fun*. Faute d'y parvenir, il était parti. Mais c'est un souvenir triste, alors Tom enrobe la vérité blafarde de tons sépia.

Jesse se lance dans des bobards insensés pour protéger son existence du jugement de cet homme. « Nous allons installer un bassin de plongeon à l'arrière. Au point où nous en sommes, nous devons nous développer, ou imploser. Un gars est venu le mois dernier, il voulait nous franchiser sur cinq marchés du Sud. »

Ces derniers temps, Tom est de retour à New York et travaille pour son père. Au fil des ans, BelliniSport est devenu un concurrent mineur dans le commerce des vêtements de sport. Quand Jesse l'avait rencontré, cependant, c'était encore Bellini Frères, un atelier de misère à Newark qui fabriquait des maillots de course et des T-shirts d'équipe floqués. Le père, Rocco, avait des ambitions plus élevées, il avait envoyé Tom à Mexico, aux Jeux olympiques, afin d'essayer d'obtenir le soutien des médaillées pour une collection de combinaisons de course pour femmes. Jesse était indéterminée, timide.

Cet automne-là, Tom était revenu la voir dans le Missouri. Il avait une maquette du maillot avec lui – bleu avec des bordures marron et blanc.

C'est lors de la tournée de promotion de ce modèle dans dix villes que Jesse avait couché avec Tom, dans une chambre de l'hôtel *Drake* à Chicago. Tous deux étaient extrêmement inexpérimentés, l'événement avait donc pris une importance plus grande qu'il n'aurait eue autrement. Liés par cela, ils s'étaient mis à imaginer que Tom pourrait échapper à l'entreprise familiale, que Jesse pourrait fuir New Jerusalem et l'inéluctable séquence d'étapes de la vie qui l'attendait là-bas.

À présent, Tom s'est remarié, il se lance dans une nouvelle aventure. Jesse était sûre qu'il trouverait un mannequin de deux décennies sa cadette. Au lieu de cela et, d'une manière difficile à expliquer, *pire* que cela, il a épousé une femme un peu plus âgée que Jesse, la directrice du compte Bellini auprès de l'agence de publicité de l'entreprise. Jesse déteste le peu qu'elle sait de Kyra. À commencer par le fait que Kyra est son seul nom.

« Oh, arrête. Quel est son nom de famille ? avait-elle demandé à Tom.

— Je pense que ça ne regarde qu'elle », avait-il répliqué.

Kyra ne porte que du noir. C'est sa couleur emblématique. Jesse essaie d'imaginer tout ce qu'il faudrait changer dans sa propre existence avant qu'elle puisse avoir une couleur emblématique.

« Kyra demande pourquoi tu ne viendrais pas quelques semaines pendant tes vacances, dit Tom à Sharon. Tu n'as pas encore vu les bambinos. »

Jesse n'a pas vu les bambinos, n'a même jamais rencontré Kyra. Elle n'a pas été invitée au mariage. Sharon l'était, et elle en est revenue avec un compte rendu selon lequel Kyra était « plutôt sympa ». Elle a quarante et un ans, contre quarante-quatre pour Tom. Le temps pressait, alors ils ont tout de suite eu leur bébé de la dernière chance, qui s'est révélé être des jumeaux.

« Quelques photos des têtards », dit-il maintenant en faisant passer les clichés. Quand il reprend les tirages, il les regarde et se retient (mais pas suffisamment) de sourire. Puis les glisse dans son portefeuille.

« Bon », dit-il en finissant son Perrier, puis il se lève et se met en mode homme d'action, comme si tout le monde était allongé sur des chaises longues à s'éventer : « Je ferais mieux de me bouger. Ramener ma fraise chez Delray et parler à Handelman. Ce serait formidable si nous pouvions inciter le propriétaire de la BMW à faire preuve de meilleures dispositions. » C'est son numéro de poisson-ballon, qui se gonfle pour faire face à des formes de vie plus effrayantes dans l'aquarium.

Lorsqu'ils sont dehors sur le parking, debout près de son Oldsmobile de location noire avec des vitres teintées, il propose : « En revenant, j'ai pensé que je pourrais passer prendre Anthony. Et Machine.

— Lynette, corrige Sharon.

— L'Esquimaude, ajoute Jesse.

— Je pensais que nous pourrions tous aller dîner. »

Une fois qu'il est au bout de l'allée pour tourner sur la départementale, Jesse dit à Sharon : « Je ne peux pas avoir la migraine ?

— Allez, répond Sharon, qui veut que tout se passe bien. C'est juste un dîner. Nous serons à nouveau tous ensemble. Ce sera sympa. Tu verras. »

Le téléphone sonne au moment où Jesse sort de la douche.

« Sharon ! » crie-t-elle, mais le téléphone continue de sonner. Elle sait que Sharon ne répondra pas, pour ne pas être déçue que ce ne soit pas Ian. Elle éponge l'eau de ses cheveux avec une serviette rêche tout en se précipitant dans le couloir jusqu'à sa chambre, où elle décroche.

C'est Oscar. « Je viens d'installer ce truc. Le gars est parti il y a une minute. Maintenant, je peux faire griller des steaks directement sur la cuisinière sans quitter mon royaume de splendeur climatisée. Ma vie est absolument parfaite, accomplie désormais. Et je veux que tu la partages avec moi.

— L'entrecôte ? demande Jesse.

— Oui. Écoute, je sais que le préavis est court…

— Et je voudrais bien, tu le sais, mais c'est ma soirée "famille heureuse". Un dîner réconfortant chez *Cattleman*. Je suis désolée que tu ne sois pas là pour partager cette joie avec nous. »

Oscar garde le silence. Elle peut entendre le doux claquement des pages tournées et sait qu'il parcourt le livret d'instructions fourni avec le gril. Elle tente de lui faire honte de se soucier si peu de ses petits chagrins à elle.

« Oscar, je suis juste plombée par la famille en ce moment. Je serai de nouveau amusante bientôt, je te le promets.

— Je garde l'huile de massage au chaud. » Oscar est extrêmement habile à esquiver les disputes.

Le *Steakhouse Cattleman* possède un immense parking délimité par une clôture de ranch. Jesse et Sharon se garent à côté de la voiture de location de Tom, descendent d'El Dog et se dirigent vers le restaurant d'une démarche maladroite sur leurs talons hauts. Un bruit de battement retentit dans leur dos. Sharon n'a même pas besoin de se retourner. « Au moins, on peut compter sur ces essuie-glaces », dit-elle à Jesse.

Le restaurant est le choix de Lynette. « Ils ont un buffet de salades à volonté », avait-elle expliqué à Jesse au téléphone.

« Le bœuf Baron a l'air bien, déclare Anthony en regardant le menu.

— Nous garantissons neuf cents grammes de viande, assure la serveuse d'une voix lasse d'avoir dû proférer ces mots un million de fois. C'est pour les gros appétits.

— Ils te mettent dans une fosse profonde, puis te jettent la viande dessus, plaisante Sharon.

— Je vais prendre ça », dit Anthony.

Sharon, qui a commandé des crevettes sautées chaque fois que Jesse est allée au restaurant avec elle, bien avant même qu'elle n'arrive à prononcer ce mot correctement, finit d'étudier attentivement son menu, lève les yeux et annonce : « Je pense que je vais prendre les crevettes sautées. »

La serveuse se tourne vers Jesse, qui dit : « J'ai du mal à me décider entre le poisson frais et la pêche du jour. » Mais elle se sent aussitôt minable de plaisanter tandis que cette femme, qui a dû servir un nombre incalculable de morceaux de viande géants et de filets de poisson décongelés, est obligée de patienter. « Que recommandez vous ? dit-elle en prenant un air sérieux.

— J'aime le plateau de Neptune, répond la serveuse d'une voix plus animée, ce qui indique à Jesse que ce n'est pas une réponse toute faite.

— Alors c'est ce que je prendrai. » En réalité, ce soir, Jesse sauterait volontiers la partie alimentaire du repas au profit d'une perfusion de Valium.

Tom, elle le sent bien, profite quant à lui de son petit moment à la tête de la table, pour ainsi dire, bien que la table soit ronde. Il se prélasse dans un bain de bons sentiments et de jolis souvenirs. C'est comme s'il était ici pour un voyage organisé dans son passé. Les enfants sont contents de le voir, c'est évident. Jesse craint toujours que, dans leurs périodes les plus noires, ils la détestent d'être incapable d'aimer leur père.

Tout le monde prend beaucoup de temps au buffet de salades, qui propose, en plus des habituels quartiers de tomates et feuilles de laitue, pois chiches et lardons, des plateaux d'ailes de poulet, de corned-beef, de chou, de macaroni au fromage, de Jell-O [1] rouge et de pain perdu. De retour à table, leurs plats les attendent. À la place de Jesse se trouve une assiette remplie d'une variété de petites choses enrobées de pâte à frire.

« Les crevettes sont bonnes », dit Sharon. Alors qu'elle est encore en train de s'asseoir, elle sort déjà une queue de sa bouche.

Tom verse du vin blanc, pour lui et pour Jesse, d'une lourde carafe ambrée. Il voulait en commander une bouteille, mais cela n'existe qu'au verre, ou dans des carafes tirées de cubis empilés au bout du bar.

Anthony et Lynette regardent la serveuse poser leurs Coca devant eux. Ils sont timides dans ces circonstances. Ils se sont bien habillés pour l'occasion. Lynette porte une jupe dans un tissu ressemblant vaguement à de la peau de serpent. Elle a les cheveux blancs et duveteux des filles photographiées dans *People* qui se rendent dans les clubs à la mode au bras de stars de *heavy metal*. On la dirait branchée sur les signaux nocturnes d'une vie sociale effervescente qui sont émis jusque dans cet endroit éloigné, même si rien de ce pour quoi elle est prête ne se produit.

Anthony colle bien à son rôle de petit copain. Il a un symbole ankh à une oreille, porte un débardeur pour exposer son tatouage. Jesse s'efforce, sans grand succès, de ne

1. Dessert industriel à base de gelée.

pas se laisser perturber par ce que cela représente : quatre griffes qui se frayent, de l'intérieur, un chemin à travers la peau.

Bien qu'ils semblent tout droit sortis d'une confrérie de sorcières, Anthony et Lynette se comportent comme un jeune couple uni. Ils échangent de longs et doux baisers, se regardent dans les yeux pendant plusieurs minutes tandis que la conversation s'interrompt, les convives s'étant laissé captiver par le spectacle qu'ils offrent.

Lynette chuchote beaucoup à l'oreille d'Anthony. Au début, Jesse a pensé qu'il s'agissait de véritables secrets, puis elle a remarqué, par exemple, que quand Lynette se penche vers lui, il hoche la tête puis lui passe le sel. Elle lui coupe sa viande, ce qui est moins catastrophique que ça n'en a l'air. Après tout il s'agit du bœuf Baron, après tout il a la main bandée.

Il n'est pas facile de les attirer dans la discussion. Tom s'y emploie. C'est un expert ès relations publiques, adepte du bavardage d'entrée de gamme. « Alors, Lynette, dit-il en forçant sa voix, j'ai entendu dire que vous aviez des chiens plutôt intéressants. »

Elle hoche la tête, la bouche pleine de graines de tournesol. Bien qu'elle ait recommandé le lieu pour son buffet à salades « sans fin », sa propre salade se termine plutôt brusquement : elle se compose de quatre-vingt-dix-neuf pour cent de graines de tournesol sur trois bouts de laitue. Enfin, le craquement s'arrête et elle dit : « Nous leur apprenons à parler. »

Personne ne trouve rien à répondre à cela.

Un groupe de musique se met en place, cinq gars, selon un large éventail d'âges et de styles. Tous portent un smoking blanc jauni aux coutures. D'après leur tambour, ce sont les Rhythmaires. *Taptaptap*, fait le trompettiste, d'un index assourdissant sur le microphone, suivi d'un larsen d'une seconde.

« Oh mon Dieu, fait Jesse.

— Ça va être drôle, promet Sharon.

— Nous sommes les Rhythmaires, lance le trompettiste. Spécialisés dans la pop, les musiques de film, les hits *country*, la polka, le rock'n'roll et la lambada ! »

Anthony se tient la tête comme si ses quatre dents de sagesse étaient impactées.

Sharon le fixe de l'autre côté de la table en louchant. Elle saisit la main de Lynette et l'entraîne sur la piste. Jesse sait que Sharon n'aime pas vraiment Lynette, mais qu'elle fait un gros effort, pour son frère. Pour autant que Jesse le sache, dans l'échelle mondiale de la bonté, Sharon arrive juste derrière Mère Teresa. Lorsque William est venu leur rendre visite au printemps, Sharon l'a laissé la coiffer avec le sèche-cheveux presque tous les matins (il est obsédé par la coiffure depuis quelque temps ; cela a à voir avec le béguin qu'il a pour la fille qui lui coupe les cheveux à New Jerusalem), et, quel qu'ait été le résultat, elle est allée à l'école ainsi.

Une fois Sharon, Anthony et Lynette sur la piste de danse à s'amuser sur « New York, New York », importunant les quelques vieux couples autour d'eux qui prennent encore le fox-trot au sérieux, il vient à l'esprit de Jesse que les enfants – Anthony et Lynette, pas Sharon – sont probablement défoncés.

Tom et Jesse les regardent depuis la table. Il leur commande deux eaux-de-vie, servies dans des verres semblables en taille et en épaisseur à un bocal à poisson rouge.

« C'est un bon garçon », dit Tom en désignant la piste. Comme s'il suffisait de le dire pour que ce soit vrai. « Qu'est-ce que tout cela, franchement ? Quelques ennuis. Un petit accroc. Le genre de bêtises que commettent les garçons. » Jesse laisse dériver son attention pendant qu'il lui explique comment sont les garçons.

« Peut-être que tu pourrais l'emmener dans le Nord, dit-elle. Lui trouver quelque chose chez Bellini. Un coup de main à l'entrepôt ou quelque chose de ce genre. J'aimerais le voir décrocher de Lynette. Je pense qu'elle est la French Connection.

— Ah », fait Tom. Il acquiesce lentement, comme s'il contemplait la sagesse de cette suggestion. Jesse peut voir les rouages de son esprit tourner en quête d'une raison de refuser. Même s'il aimerait vraiment pouvoir accepter, bien sûr.

« J'aimerais vraiment pouvoir le faire, bien sûr, finit-il par dire. Mais je suis un trop vieux bonhomme pour être père et avoir des bébés. Ils attrapent un virus après l'autre, puis c'est Kyra qui le chope, et ensuite moi. Je ne pense pas pouvoir gérer des bébés *et* Anthony en même temps, si tu vois ce que je veux dire. »

Jesse se détache de la conversation et regarde Anthony danser avec Lynette. C'est un morceau lent, « Moon River », et tous deux sont quasiment immobiles au centre de la piste, se balançant légèrement d'un pied sur l'autre. Sharon danse avec un type dans la trentaine, qui était assis au bar. Il porte un sweat trop coloré, à croire qu'il vient de remporter un Grand Prix. Sa haute taille l'oblige à se pencher sur Sharon d'une manière suggestive que Jesse n'aime pas. *Détends-toi*, se dit-elle avant de se retourner vers Tom.

Celui-ci a appuyé sa tête sur sa main et s'est avancé près d'elle. Il est sur le point de dire quelque chose de sérieux, elle le sent. Elle s'efforce de le tenir à distance avec des commérages. « Ma mère s'est trouvé un petit ami. »

Il hoche la tête comme s'il absorbait cette information, puis lance : « Tu devrais y penser pour toi-même, Jess. Vraiment. Tu es encore jeune. »

Bien qu'environ quatre-vingt-dix pour cent de ce que dit Tom la mette hors d'elle, Jesse garde son calme. Pense-t-il vraiment qu'elle mène une vie de cours de natation et de célibat ? Il connaît Oscar. Ici, c'est une petite ville. La dernière voiture que Tom et Jesse aient achetée avant de se séparer venait de chez Oscar, une voiture que Tom a ensuite conduite vers le Nord en route pour sa nouvelle vie. Ce que Tom ne sait pas, c'est le lien entre Oscar et Jesse. Elle ne prend pas la peine de le lui dire ; elle n'y gagnerait rien. Il y verrait simplement une indication supplémentaire de son attachement touchant pour un patelin somnolent qu'il a lui-même laissé derrière lui.

« Devine qui j'ai rencontré au salon d'équipement sportif de New York ? dit-il après avoir regardé fixement la piste de danse.

— Buffalo Bob[1].

— Marty Finch. »

Jesse a bu un peu trop de vin et d'eau-de-vie pour se dominer autant qu'elle le souhaiterait. Elle espère seulement faire une imitation acceptable de quelqu'un dont le

1. Animateur d'une émission pour les enfants des années 1940-1950.

cœur ne s'agite pas dans sa poitrine comme un thon hors de l'eau.

« Ah.

— Nous avons organisé un banquet pour les stars de la natation toutes générations confondues. Je t'ai envoyé une invitation, tu te souviens ? On a fait venir de grands noms. Schollander. Shane Gould. Spitz était censé participer, mais il n'a pas pu. Quoi qu'il en soit, notre bonne vieille Marty était là. »

Jesse tente de poser une question qui paraisse sensée. « Comment est-elle ?

— Oh, elle se la joue. C'est un personnage. On dirait toujours un négatif de photo, tu sais, cheveux platine et bronzage Coppertone. Elle a une émission de télévision chez elle. Pas un truc de détective sous-marin, un talk-show. Des interviews de célébrités. »

Quelques centaines de questions se bousculent instantanément dans l'esprit de Jesse. Elle choisit avec soin celle qui se trouve au sommet de la pile. « Est-ce qu'elle a demandé après moi ?

— C'était une vraie foule, dit Tom. Je n'ai pu lui parler que quelques minutes, tu sais. » Il fait tourner ce qu'il reste de son brandy jusqu'à ce que ce ne soit qu'une fine couche tout autour du verre. « Tu y penses encore ? interroge-t-il. À ton grand moment ? »

Jesse se demande s'il est sarcastique, s'il a mis des majuscules à « grand » et à « moment », mais elle décide qu'il ne l'est sans doute pas, il veut sincèrement savoir. Et c'est une bonne question, vraiment. Les gens la posent de temps en temps. Mais bon…

Elle fait non de la tête. Très souvent, elle trouve que mentir est ce qui semble le plus juste.

Tom a pris la chambre d'Anthony et nettoie la salle de bains après s'être douché et rasé, ce qu'il ne faisait jamais quand il vivait ici. C'est un invité modèle au sens conventionnel du terme. Mais il est déterminé à faire en sorte que sa présence compte, et à troubler tout le monde. Il part tous les matins, généralement avec Sharon, pour récupérer Anthony et sillonner les canaux près de la côte dans un Sea Skiff appartenant à un vieil ami du temps où il vivait en Floride. Ou alors il les emmène dans l'un des centres commerciaux les plus chers pour acheter des vêtements. Le soir, ils vont au cynodrome.

« Quelques jours à fond avec mes enfants, c'est tout ce que je désire », dit-il à Jesse, qui est invitée à ces excursions, mais toujours de telle manière qu'il est clair qu'on attend d'elle une réponse négative.

La veille de l'audience d'Anthony, Jesse insiste pour y assister. Tom comptait régler les choses à l'amiable, mais Handelman, l'avocat turbo, n'est pas en mesure de soudoyer le propriétaire de la BMW, dont la chaîne stéréo était la troisième à être arrachée de l'un ou l'autre de ses tableaux de bord. Cet homme, avec qui ils ont un rendez-vous d'un quart d'heure, a plus de traits communs avec Bernie Goetz[1] qu'avec un gars prêt à donner sa chance à Anthony. Handelman obtient une prorogation, mais Anthony devra se présenter prochainement au tribunal, puis sans doute exercer un travail d'intérêt général pendant un certain temps.

1. Surnommé « le justicier du métro » par la presse, Bernhard Goetz est un homme qui, en 1984, a tiré dans le métro de New York sur quatre jeunes Noirs qui l'importunaient.

« Quoi qu'il en soit, commente Tom sur le chemin du retour, dans la climatisation glaciale de sa voiture de location, je pense que les choses vont s'arranger à long terme. » Il prononce ces mots avec assurance, comme un personnage de téléfilm dramatique, à la fin de la diffusion, en guise de résolution à l'heure qui vient de s'écouler. Pour célébrer la conclusion de cet épisode, il tend le bras entre les sièges avant pour donner une claque sur la paume d'Anthony. Monsieur Bon Papa.

« Pour l'instant, retour à la réalité... », dit Jesse, à personne en particulier.

Le lendemain matin, quand Tom fait ses valises pour partir, pliant ses chemises avec une précision étonnante, un talent acquis au fil des années en tant que voyageur de commerce, il dit à Jesse : « Ça va aller pour Anthony. Il m'a dit que la drogue, c'était fini maintenant. Ça n'était qu'une phase d'expérimentation. Lynette l'aide. C'est une bonne gamine elle aussi. Ne t'inquiète donc pas autant pour tout. » Jesse sait qu'il n'a pas terminé. Elle pressent une déclaration en suspens dans l'air qui les sépare, mais n'est pas assez rapide pour l'esquiver. « Tu connais ma philosophie, ajoute Tom. Donne-leur simplement trop d'amour. »

Elle le regarde, auréolé de la lumière qui pénètre par la fenêtre ouverte, et regrette pour la première fois que la maison n'ait qu'un niveau.

Au cours des semaines suivantes, il devient évident que quelque chose ne va pas pour la main d'Anthony ; un nerf a été lacéré et ne guérit pas. Le chirurgien recommande de faire de la kinésithérapie et Jesse se met à emmener Anthony trois après-midi par semaine dans un endroit appelé

SportsMed. Il n'a plus de voiture. Après avoir attentivement examiné sa situation actuelle, Lynette a conclu qu'il n'allait plus être drôle du tout et elle est partie avec le break et les chiens.

Bien qu'Anthony lui parle toujours en syllabes rationnées, Jesse s'autorise à penser que les choses s'améliorent entre eux. Puis elle se dit qu'elle se leurre.

Puis les orages arrivent, presque toujours la nuit, pendant près d'une semaine. Soit elle ne parvient pas à dormir à cause des grondements au loin, comme si une pensée se profilait au bord de sa conscience, soit elle est à peine endormie qu'elle est tirée du sommeil par un éclair aigu, ou par les perturbations nocturnes accompagnant les orages, qui semblent faire partie de cette météo agitée et qui donneraient presque l'impression que les nuits tonnent sous la surface lisse et étale des jours.

Le premier événement de ce type se glisse au milieu d'un rêve que Jesse fait, une histoire de meurtre. Il pleut au-dehors. Il y a un corps ensanglanté sur le sol, chez elle. Elle n'est pas responsable, mais sait que personne ne la croira. On sonne à la porte. Elle ignore si elle doit répondre.

En se réveillant, elle commence à comprendre que ce n'est pas la sonnette de l'entrée, mais le téléphone. Elle reste immobile, l'écoutant sonner sur fond de la pluie battante qui martèle le toit plat au-dessus de sa tête. Elle se demande d'où vient le cauchemar, puis se souvient du feuilleton télévisé qu'elle regardait distraitement dans la salle d'attente de SportsMed. Une infirmière assassinant son amant médecin qui la méprise. Une infirmière avec une main blessée, comme Anthony.

Elle laisse le répondeur se mettre en marche. Elle a découvert que cela valait mieux, au beau milieu de la nuit. À l'autre bout du fil, en général, une respiration saccadée, ou quelqu'un dans la cabine téléphonique d'un bar extrêmement bruyant à la recherche d'Audrey, laquelle doit avoir une vie sociale active et un numéro de téléphone identique à un chiffre près à celui de Jesse.

Mais, cette fois, c'est Hallie. Sa voix est épouvantable. Jesse tend la main, décroche l'appareil et l'interrompt. « Quoi ? Qu'est-ce qui ne va pas ?

— Je ne sais pas. Quelque chose que j'ai mangé, peut-être. Muriel m'a convaincue d'aller dans ce resto chinois. » Hallie se méfie de toutes les cuisines ethniques, et particulièrement de la cuisine chinoise. Elle est certaine qu'on y sert de la viande de chat. « Peut-être que c'est mon appendice, mais je crois qu'ils l'ont enlevé quand ils ont fait l'hystérectomie.

— J'arrive tout de suite.

— Pas sous cette pluie.

— Ça va », dit Jesse. Hallie ne demande jamais rien.

Elle enfile le jean et le sweat-shirt aux manches coupées empilés à côté du lit.

« Qu'est-ce qui se passe ? » demande en titubant Sharon, fraîchement sortie du sommeil et encore instable. Elle semble trottiner sur des sabots de biche. « C'était Ian ?

— Hallie. Elle est malade. Je vais monter la voir.

— D'accord », approuve Sharon, sans être tout à fait réveillée. Elle s'effondre sur le lit de Jesse et s'endort au contact du matelas.

Jesse n'avait jamais vu de telles pluies avant son arrivée en Floride. Un mur d'eau compact. Elle peut presque en sentir la pression sur le pare-brise ; on se croirait dans un tunnel de lavage. Les rares voitures devant elle ne sont que des feux rouges flous. Il lui est impossible d'aller à plus de quinze kilomètres à l'heure, non seulement parce qu'elle ne voit rien mais parce que les rues sans égouts sont inondées, traversées par des flots qui ont transformé les caniveaux en torrents.

Enfin – cela lui prend presque une heure au lieu des vingt minutes habituelles –, elle arrive chez Hallie. Elle sprinte à travers la pelouse et commence à chercher sa clé sous son poncho, mais Hallie se tient sur le seuil, ayant déjà ouvert la porte. Son teint gris se détache sur sa robe bleue en éponge. Sweetie tourne nerveusement autour de ses jambes.

« Ma pauvre, on dirait un rat noyé. Maintenant, j'ai honte de t'avoir fait venir jusqu'ici. Je me sens un peu mieux depuis que j'ai vomi.

— Non, je suis sèche comme du pain grillé là-dessous », réplique Jesse en ôtant son poncho, qu'elle secoue sur la véranda avant de l'accrocher à une poignée de porte. Elle laisse ses sandales dans le couloir, puis suit Hallie. « En plus, tu m'as sauvée de moi-même. J'étais en train de rêver que j'étais une tueuse.

— Drôle. Quand ça m'a réveillée, je rêvais que tu étais mariée à Liberace. Je détestais vos meubles, mais ne voulais pas te le dire. »

Jesse s'assied à côté d'elle sur le canapé-lit déplié, puis tâte les draps, qui sont trempés de sueur nocturne. Hallie se tait soudainement et semble aller encore plus mal.

« Si tu veux bien m'excuser un instant », dit-elle avec la politesse du Missouri. Elle va dans la salle de bains et y reste un bon moment. Quand elle en sort, Jesse a refait le lit avec des draps frais. Elle aide Hallie à s'asseoir dans son fauteuil inclinable et lui demande : « Penses-tu que nous devrions aller à l'hôpital ?

— Non, je vais beaucoup mieux maintenant. Je crois que le pire est passé. »

Jesse la regarde avec scepticisme.

« Vraiment.

— Reste là une minute », déclare Jesse en passant une main dans les cheveux humides d'Hallie. Puis elle se rend dans la salle de bains et commence à faire couler un bain.

« Je suis juste un peu patraque, dit Hallie tandis que Jesse la plonge dans l'eau chaude, puis la lave avec un gant et du savon parfumé aux baies.

— J'ai apporté de la camomille. Je vais t'en préparer. Reste ici un moment. Détends-toi. Tu veux de la compagnie ?

— Oui. Reviens vite. » Jesse se dit que c'est peut-être la première fois qu'elle voit Hallie effrayée.

Lorsqu'elle revient, elle pose la tasse sur le rebord de la baignoire, abaisse le couvercle des toilettes pour en faire un siège, puis elle ramène ses genoux contre sa poitrine.

Hallie regarde la tisane comme si elle était punie.

« C'est à base de plantes, dit Jesse. Elaine m'a branchée là-dessus.

— Je connais les plantes. Je connaissais les plantes avant qu'elles ne deviennent branchées. *Bien* avant. C'est affreux, dit Hallie après une gorgée, pinçant les lèvres en forme de pruneau.

— Non. C'est bon… et bon *pour* toi. »

Après qu'Hallie l'a regardée pendant un certain temps d'une manière particulière – concentrée mais distante –, Jesse lui demande : « À quoi penses-tu ?

— Oh. Cela date de si loin. De quand tu étais une petite fille. Je suis passée chez vous un après-midi en rentrant du salon, j'ai frappé à la porte de derrière mais je n'ai pas eu de réponse. J'ai pensé que ta mère était en bas avec la machine à laver en marche et qu'elle ne pouvait pas m'entendre. Mais quand je suis entrée, je t'ai entendue hurler. Et puis j'ai entendu une claque, suivie d'un silence de mort. Je suis entrée. Même si je n'avais pas besoin de voir pour comprendre, j'ai vu. Et puis tu m'as vue. Tu étais assise sur le canapé avec un petit visage rouge et de la dureté dans les yeux.

— Qu'est-ce que tu as fait ?

— Oh, pas grand-chose en réalité. Les gens frappent leurs enfants, je le sais. Et je suis sûre que ta mère ne l'a fait qu'une fois ou deux.

— Je ne me rappelle même pas celle-ci, dit Jesse.

— Voilà. Et qui sait, tu l'avais peut-être mérité. Tu as toujours eu la langue bien pendue. Tu voudrais probablement entendre que je lui ai dit que, si jamais elle te frappait à nouveau, j'en serais témoin le jour du Jugement dernier. Mais c'étaient les années 1950. Et New Jerusalem, comme tu sais, n'est pas un endroit où les choses se passent de manière spectaculaire et dramatique. Pas comme dans *notre* ville. » Ce par quoi elle veut dire « Rome ».

« Et je n'ai vraiment pas eu besoin de dire quoi que ce soit. Il avait suffi que je sois là pour qu'elle ait vu la condamnation dans mes yeux. Notre amitié a cloché pendant quelque temps après cela. Il lui a fallu un long moment pour me laisser revenir dans ses bonnes grâces, j'ai dû traverser une période de punition. J'avais violé le protocole, vois-tu. Peu importe combien je t'aimais, ma vraie place était dehors, de l'autre côté de cette porte moustiquaire, à toquer poliment, puis à attendre qu'on m'autorise à entrer. Et hormis cette fois-là, je suis toujours restée à ma place – dehors, à une distance respectable. Tout ce que ça m'a apporté à la fin, c'est que je suis seule. Et je n'aime pas ça.

— Mais tu as choisi de vivre seule.

— Eh bien, pas vraiment, rétorque Hallie.

— Tu ne l'as pas choisi ?

— Je n'ai pas été tout à fait seule », dit-elle, lâchant, comme s'il s'était agi d'une plume, une enclume. Étant passée aux confessions, Hallie semble partie pour continuer.

« Oh mon Dieu, dit Jesse, se sentant rougir. Eh bien, je suppose que je l'ai toujours su. Simplement je ne savais pas *qui*.

— Oh, n'écarquille pas les yeux comme ça. Tu ressembles à un vautour. Ce ne sont pas des informations passionnantes, de toute façon. Ce n'était qu'Horace. »

Au début, Jesse ne comprend pas de qui on parle. Puis soudain, tout s'éclaire. « Doc Wemby ?!

— C'était un homme bien, argue Hallie, sur la défensive. Et un grand médecin.

— Eh bien, je n'en doute pas, répond Jesse, faisant marche arrière. Je suis désolée. Je me moque de moi-même d'avoir été une telle abrutie. Comme si j'étais incapable d'imaginer les autres générations amoureuses. C'est tellement immature !

— Non. Tu ne pouvais tout simplement pas imaginer qu'une vie secrète serait nécessaire pour aimer un homme joyeux et rondelet avec un vilain postiche sur la tête et une affiche "Faites aaah" au mur de son bureau. Mais sérieusement, qui pensais-tu que ce serait ? Ricardo Montalbán ? »

Jesse, qui ne trouve pas de bonne réplique, se laisse aller au babillage. « Mais, je veux dire, et ses quatre enfants ?

Enfin, cinq, en comptant Keith. » Puis elle fait mine de se frapper la tête, se rattrapant juste trop tard pour arrêter ce geste de dessin animé. « Mon sponsor ! Le pauvre homme. Il se fichait sûrement de la natation ! »

« Doc Wemby », répète-t-elle quelques instants plus tard, encore saisie par l'étonnement, tout en aidant Hallie à sortir de la baignoire et en la séchant dans une grande serviette. Puis elle met Sarah Vaughan tout bas sur la chaîne stéréo et emmène sa marraine sur la petite terrasse. La pluie s'est arrêtée aussi soudainement qu'elle avait commencé ; tout dégouline et a un parfum de renaissance.

L'événement nocturne suivant débute si tard qu'il se produit à peine avant l'aube. Jesse a dormi d'un sommeil agité, d'abord à cause des craquements secs du tonnerre, des éclairs de flash photo, puis d'un court moment de pluie battante. Elle n'a même pas l'impression d'avoir dormi, et pourtant elle se réveille au son d'éclaboussures lointaines qui n'étaient pas là auparavant. Parfois, les chiens du quartier viennent s'ébrouer dans la piscine. Une fois, elle a même trouvé un petit alligator du côté peu profond du bassin. Ça vaut la peine de regarder où on met les pieds.

Elle enfile un short et un T-shirt, attrape un couteau à pain sur le comptoir de la cuisine et s'avance pieds nus dans le passage couvert. Lorsqu'elle parvient à l'entrée de la piscine, elle s'arrête et regarde entre les persiennes ouvertes. Il y a un, deux… quatre garçons. Il lui faut un certain temps pour distinguer dans la pénombre que l'un d'eux est Anthony.

Les autres, elle ne les reconnaît pas. Les amis d'Anthony sont toujours des étrangers pour elle et ne semblent jamais rester assez longtemps pour devenir familiers. À la façon loufoque dont ils se parlent, aux rires que provoquent trop facilement des blagues trop bêtes, elle devine qu'ils sont défoncés. Ils ont allumé les lumières sous-marines, se sont débarrassés de leurs vêtements et plongent ou tombent dans l'eau de toutes les façons possibles, puis remontent à la surface, jaillissent en criant et en secouant l'éventail de leurs cheveux longs, crachant l'eau de leur bouche, leur peau bleu pâle quand ils émergent au clair de lune lavé par la tempête.

Bientôt, ils se fatiguent et s'affalent sur les tapis de gym au bout de la piscine. Seul Anthony reste debout ; il se tient au bord du bassin depuis si longtemps et dans un état de suspension si parfait qu'il ressemble à une statue, mais une statue trop frêle pour être de pierre. Puis, d'un mouvement fluide, il est dans les airs, au-dessus de l'eau, puis dans l'eau, dévorant toute la longueur de la piscine à coups de bras réguliers comme une machine, se débarrassant de l'eau qui se trouve sur son chemin.

Jesse sait qu'il sait qu'elle regarde. Et qu'il lui montre, non pas ce qu'il peut faire, mais ce qu'il ne fera pas.

Ces nuits d'orage laissent derrière elles un ciel du bleu des chemises hawaïennes, des robes de bal, de l'intérieur de boîtes à bijoux. Jesse se rend en ville, prend un café au magasin de beignets, puis remonte la route côtière jusqu'à un tronçon de plage sans touristes qu'elle utilise comme lieu de réflexion. Des panneaux avertissent : PRIVÉ – DÉFENSE D'ENTRER, mais elle n'a jamais rencontré quiconque pour les faire respecter.

Elle prend rapidement la sortie de l'autoroute, s'engage sur le sable et s'arrête juste avant les brisants. Elle insère une vieille cassette des Stones dans le baladeur de Sharon, enfonce les minuscules écouteurs dans ses oreilles, sort de la voiture et se hisse sur le capot. Elle a besoin de s'extraire du présent un moment.

D'habitude, si elle contemple l'océan assez longtemps puis ferme les yeux, la couleur apparaît. Ce qu'elle ne peut pas contrôler, c'est l'endroit où la scène s'ouvrira. Parfois, c'est le blanc mort, et elle est dans les douches, le souffle de Marty sur elle, chaud ; l'air frais de la nuit, retenu par les carreaux. Et les cris des chiens, quelque chose dans leurs jappements l'excitait, lui faisait penser à des battues, instillait en elle la peur de la découverte. Découverte de quoi, d'ailleurs ?

Cette fois, le cadre qui apparaît est plus ancien, la couleur est toujours l'aigue-marine – le fond de la piscine qu'elle traverse. Lorsqu'elle tourne la tête sur le côté pour respirer, elle constate qu'il ne lui reste plus qu'un quart de longueur. Elle peut également s'apercevoir que Marty est légèrement derrière elle. Et puis elle se sent ralentir un tout petit peu sa course, écarter les doigts dans l'eau pour laisser le bleu-vert couler entre eux, renoncer à sa prise. Tout ça pour que sa main, lorsqu'elle claquera le carreau à la fin, le fasse la plus petite fraction de temps mesurable après Marty. Prendre le plus grand moment de sa vie et le bousiller. Par amour. Faire un geste spectaculaire dont Marty n'aurait jamais connaissance, et qui, si elle venait à l'apprendre, susciterait chez elle probablement davantage de mépris que de gratitude. La définition même de la folie.

Jesse ne peut pas en être sûre, cela va de soi. Elle ne peut pas dire si elle se souvient vraiment de cela, si c'est ainsi que ça s'est réellement passé, ou s'il s'agit simplement d'un dispositif de mortification, une façon de penser l'impensable.

Elle fixe le soleil qui vient de se lever à l'horizon, goûte le sel de son pouce qu'elle fait glisser sur sa lèvre inférieure. Dans ses écouteurs, elle est soutenue par « Tumbling

Dice». «*My my my*, susurre Mick Jagger dans ses oreilles, *I'm the lone crap shooter.*»

Elle est assise sur le capot rouillé d'une voiture bien trop vieille tandis qu'elle regarde une mer mourante. Elle a quarante ans, une entreprise en faillite, deux cartes de crédit poussées à la limite, un mariage vraiment stupide derrière elle, deux enfants déjà en route pour les déceptions de l'âge adulte. Qu'est-ce que cette pitoyable bulle d'histoire peut bien signifier pour elle, maintenant qu'elle a été recouverte par tant de vie réelle ?

Elle n'a jamais pu avouer à quiconque que ce non-sens se bouscule encore en elle. Elle craint que ce soit le signe d'une folie constitutive, et que peut-être Anthony tire la sienne de là. Elle aimerait lui épargner cet héritage, mais ses rêves de salut sont trop flous. Elle ne voit pas sur quel rivage elle pourrait l'emmener. Pourtant, elle aimerait pouvoir lui lancer une corde et sentir qu'il s'y agrippe.

Elle devrait s'arracher de cet endroit, mettre les voiles. Parfois, en particulier les jours sans vent comme celui-ci, elle pense qu'elle pourrait littéralement mourir du désir de trouver quelque chose qui la tirerait d'ici ou lui montrerait même seulement le chemin. Au lieu de cela, elle s'assoit sur le capot de sa voiture ou s'allonge sur le canapé tard le soir, regardant la télévision pour chercher des indices. À mesure que la nuit avance, les drames modernes se transforment en drames d'une autre époque avec des fume-cigarettes et des chapeaux voilés, mais tous parlent de vies vécues à bout de souffle, sur des hauteurs aux flancs abrupts. Elle-même a brièvement connu cette géographie, mais se tourmenter à ce sujet ne sert à rien. Sauf à la laisser assise, toute tordue, à attendre impatiemment le passé.

Sandgate

Décembre 1990, Brisbane

Jesse est assise depuis deux jours dans une chambre du *Travelodge*, après avoir décliné la visite du sanctuaire des koalas et la croisière de thé Devonshire recommandées par l'employé de la réception, qui ne pouvait pas savoir qu'elle était une voyageuse d'un autre genre, une touriste de son propre passé.

Elle n'a dit à personne qu'elle venait ici. Une pincée de poudre aux yeux, une légère couche de tromperie, pour que personne n'ait besoin de la voir pendant la période où elle doit disparaître.

Tout ce qu'elle possède, c'est une adresse dans une petite ville au bord de la mer, un peu plus au nord. Sandgate. Une station balnéaire d'une autre époque. L'info vient du bulletin d'information des anciens olympiens. (« Marty Finch demande à tous ses vieux copains d'écrire. »)

Ce qu'elle a fait pendant ces deux jours, c'est dormir, reprendre son élan et regarder la télévision, zappant entre des rediffusions de *Lucy* et des programmes éducatifs soporifiques sur la faune, les civilisations anciennes et le système nerveux. Enfin, elle a déniché l'émission de Marty,

Questions et Réponses, un programme constitué d'interviews mortellement sincères d'une demi-heure.

« Comment vous êtes-vous vu, ainsi que la compagnie Parallelogram, rompre avec ce que vous appelez la "mise à la terre" des mouvements de danse antérieurs ? » Marty se penche en posant cette question à un homme d'âge moyen, extrêmement mince et vêtu d'un col roulé noir, assis sur une chaise en face d'elle.

Elle a l'air… pas la même, bien sûr que non. Pas du tout la même. Elle est tellement plus âgée, au milieu plutôt qu'au début de l'âge adulte, là où Jesse l'avait laissée. Mais les différences entre la Marty d'alors et celle-ci – sa bouche et ses yeux maintenant cernés de lignes fines, son bronzage qui a perdu sa fraîcheur – sont dérisoires par comparaison avec la constance de tout ce qui est significatif. D'après ce qu'elle peut voir sur cet écran télévisé enneigé de motel, Jesse sait que Marty est, pour l'essentiel, la même.

Jesse passe en vitesse surmultipliée et sent le moteur de la 4-Runner de location donner son plein alors qu'elle double une file de voitures et de camionnettes de livraison, en se demandant vaguement s'il existe une limite de vitesse en Australie. Elle se gare sur l'accotement en gravier et consulte l'atlas routier étalé sur le siège passager, ancré par un beignet au chocolat. Elle prend la petite carte dessinée au crayon qu'un gars de la station-service, à quelques kilomètres de là, a faite pour elle. Elle constate qu'elle a raté l'embranchement et doit rebrousser chemin sur trois kilomètres. De là, cependant, c'est facile, en quelques minutes elle est près de la mer, peut la sentir avant de la voir, peut voir les oiseaux marins – pygargues et martins-pêcheurs – descendre en piqué, remonter en flèche. Et puis elle arrive à la maison décrite par le gars. C'est la dernière d'une ligne d'anciennes maisons de vacances, face à la plage, montées sur pilotis et couvertes de treillage pour laisser passer la brise, une vanité coloniale en doux déclin, battue par les vents violents des jours moins cléments, sa véranda en bois un peu affaissée, ses planches retenant les dernières bribes d'une couche de peinture pêche vieillissante.

Il est encore assez tôt, l'océan est encore à moitié endormi, d'un bleu-vert très pâle se poussant doucement sur le sable fin et blanc. Peut-être que Marty ne sera pas là. Peut-être qu'elle sera en déplacement ou déjà partie travailler. Mais, bien sûr, elle sera là, Jesse le sait. Les destins sont généralement prêts pour un soupçon de drame ; ils ne pourront pas résister à conspirer pour que ce moment se produise.

Elle descend de la voiture et s'appuie contre le pare-chocs avant pour rassembler ses attentes. Mais elle découvre qu'elle n'en a pas, ne parvient pas à imaginer un événement susceptible de gommer le passé et de tracer à sa place quelque chose de surprenant et de révélateur. C'est juste une chose qu'elle doit faire, un rituel d'ablution improvisé.

Et puis la porte moustiquaire s'ouvre et – après tout ce temps, après tout ça – elle est là, tout simplement. Jesse lève les yeux vers Marty Finch et sent le temps se déformer autour d'elles alors qu'elles se tiennent dans son giron. Son premier réflexe, ridicule après tout ce qu'elle a traversé pour arriver ici, serait de tourner les talons et de s'enfuir, mais elle le surmonte pour s'installer dans le calme plat de l'œil de sa tempête. Elle est prête.

Marty n'a pas l'air de se demander, ne serait-ce qu'un instant, qui est Jesse, ni d'essayer de la situer dans ce contexte, ni de s'étonner de la voir ici – rien de tout ce qui se passe face à quelqu'un qu'on n'attend pas. Il semble plutôt qu'elle attendait Jesse depuis le début, alors qu'elle se penche en avant contre la balustrade, amorçant un sourire de pur plaisir, ses yeux remplis de mensonges.

Jesse est là pour les entendre.

Remerciements

Je tiens à remercier mon agente Jean Naggar, mon éditrice Janet Silver et la Fondation Ragdale.

Ma profonde gratitude va également à Rebecca Chekouras, Lyn DelliQuadri, Chap Freeman, Chris Paschen, Johanna Steinmetz, Claire Whitaker et – toujours et par-dessus tout – à Mary Kay Kammer.

Table

Cet ouvrage a été composé par IGS-CP
à L'Isle-d'Espagnac (16)
et achevé d'imprimer par
Firmin-Didot, groupe CPI
à Mesnil-sur-l'Estrée
pour le compte de S. N. Éditions Anne Carrière,
57, rue Gaston-Tessier, 75019 Paris
en septembre 2023.

Imprimé en France
Dépôt légal : octobre 2023
N° édition : 1111 – N° impression : 175537